A TRAJETÓRIA
— DE UM —
DOUTORADO

Rodrigo Guimarães Motta

A TRAJETÓRIA
— DE UM —
DOUTORADO

COLABORAÇÃO
Iara Mola

PREFÁCIO
Luciano Antonio Prates Junqueira

EDITORA
Labrador

Copyright © 2021 de Rodrigo Guimarães Motta e Iara Mola
Todos os direitos desta edição reservados à Editora Labrador.

Coordenação editorial
Pamela Oliveira

Preparação de texto
Laura Folgueira

Projeto gráfico, diagramação e capa
Felipe Rosa

Revisão
Laila Guilherme

Assistência editorial
Gabriela Castro

Imagem de capa e miolo
Fabio Voinichs Imamura

Dados Internacionais de Catalogação na Publicação (CIP)
Angélica Ilacqua – CRB-8/7057

Motta, Rodrigo Guimarães
 A trajetória de um doutorado / Rodrigo Guimarães Motta e Iara Mola. – São Paulo : Labrador, 2021.
 212 p.

Bibliografia
ISBN 978-65-5625-088-5

1. Motta, Rodrigo Guimarães – Publicações científicas – Administração 2. Motta, Rodrigo Guimarães – Bibliografia 3. Administração 4. Qualidade total I. Título II. Mola, Iara

19-1594   CDD 617.609

Índices para catálogo sistemático:
1. Administração : artigos
2. Bibliografia do autor

EDITORA Labrador

Editora Labrador
Diretor editorial: Daniel Pinsky
Rua Dr. José Elias, 520 – Alto da Lapa
05083-030 – São Paulo/SP
+55 (11) 3641-7446
contato@editoralabrador.com.br
www.editoralabrador.com.br
facebook.com/editoralabrador
instagram.com/editoralabrador

A reprodução de qualquer parte desta obra é ilegal e configura uma apropriação indevida dos direitos intelectuais e patrimoniais dos autores.

A Editora não é responsável pelo conteúdo deste livro. Os autores conhecem os fatos narrados, pelos quais são responsáveis, assim como se responsabilizam pelos juízos emitidos.

SUMÁRIO

Prefácio 7
Breve análise de uma trajetória: Resultado, Esporte e Crítica 9

TRILHA 1 - RESULTADO 25

CAPÍTULO 1 – *Trade marketing* na indústria nacional de
bens de consumo não duráveis 27

CAPÍTULO 2 – Estudo de caso com as motivações, o método de
implementação e o impacto do programa de gestão da qualidade
total em vendas em uma indústria brasileira de bens de consumo
não duráveis 61

TRILHA 2 - ESPORTE 95

CAPÍTULO 3 – Esportismo: competências adquiridas no esporte
que auxiliam o atingimento da alta performance profissional 97

CAPÍTULO 4 – Teoria do esportismo e as Economíadas:
evento de festa e esporte universitário em São Paulo 115

TRILHA 3 - CRÍTICA 145

CAPÍTULO 5 – Suor, superação e medalha: uma análise do
discurso sobre a literatura *pop management* inspirada no
esporte de competição 147

CAPÍTULO 6 – Uma crítica ao discurso da gestão da qualidade
total a partir do pensamento de Maurício Tragtenberg 173

Sobre os elementos gráficos desta obra 209
Gostaria de aprofundar algum tema? 211

PREFÁCIO

Na abertura desta obra, Iara Mola, doutoranda em Letras pelo Mackenzie e mestre em Linguística Aplicada e Estudos da Linguagem pela PUC-SP, oferece uma breve análise da trajetória acadêmica de Rodrigo Guimarães Motta e anuncia o conjunto de artigos escolhidos pelo autor para expressá-la.

Mestre e doutor em Administração pela PUC-SP, Rodrigo Guimarães Motta selecionou seis artigos, publicados em periódicos entre 2017 e 2019, sobre pesquisas e análises realizadas em parcerias com outros estudiosos que o acompanharam na sua trajetória.

É uma característica do autor produzir em parceria, no que ele revela, sempre, muito entusiasmo. Contudo, esse movimento é igualmente típico da academia, onde o compartilhamento de estudos e do conhecimento produzido costuma ser mais efetivo do que a produção solitária, ensimesmada.

De outro lado, as reflexões que perpassam os artigos e deságuam em uma crítica ao discurso da gestão da qualidade total a partir do pensamento de Tragtenberg estão igualmente assentadas nas experiências de gestão e consultoria do autor em empresas na área de consumo de bens não duráveis e em organizações que trabalham com o esporte, a saúde e o esportismo – como Motta e Corá enunciam a respectiva teoria.

Ainda na linha da motivação de compartilhamento de ideias e projetos, vale ressaltar que o autor participa do Núcleo de Estudos Avançados do Terceiro Setor (NEATS), criado por professores e alunos da PUC-SP em 1998 com a missão de produzir conhecimento interdisciplinar, necessário para o desenvolvimento social e ambiental em um mundo em mudança.

O fato de transitar intensamente entre a academia, empresas e o terceiro setor, focalizando diferentes aspectos da experiência humana e de gestão, como o consumo e o esportismo, permite que a trajetória de Rodrigo Guimarães Motta não se dê em uma clausura setorial e que suas pesquisas e reflexões, em parceria, contribuam para promover diálogos entre saberes, essencial para a compreensão e a atuação neste mundo de alta complexidade.

Este prefácio dá conta do trabalho e da discussão do Dr. Rodrigo Guimarães Motta como resultado tanto do seu mestrado quanto do seu doutorado em Administração da PUC-SP. Essa produção tem um significado especial não apenas para o Rodrigo, como também para o corpo docente da PUC-SP, que lida de forma compromissada com seus colegas, fazendo-se presente nas diversas frentes de trabalho e produção.

Boa leitura.

Prof. Dr. Luciano Antonio Prates Junqueira
PUC-SP

BREVE ANÁLISE DE UMA TRAJETÓRIA: RESULTADO, ESPORTE E CRÍTICA

Conforme é do conhecimento geral, uma vez concluído o curso da graduação, o interesse pela continuidade dos estudos nas pós-graduações *stricto sensu* é geralmente característico daqueles estudantes que aspiram a uma atuação profissional na condição de professores universitários e/ou pesquisadores, consolidando, assim, a chamada **"carreira acadêmica"**. Mas o que dizer daqueles alunos que investem todos os seus esforços nesse percurso acadêmico e que não encontram nesse reconhecimento profissional a sua principal motivação para empreendê-lo? Ao final, no lugar de pretender uma atuação mais ou menos bem definida na trilha acadêmica, o que faria com que alguém simplesmente pretendesse a oportunidade de dedicar o seu melhor na construção de uma **vida acadêmica**?

Mesmo não sendo um pesquisador de dedicação integral, Rodrigo Guimarães Motta é hoje o autor mais lido e referenciado entre os estudantes de Administração da Pontifícia Universidade Católica de São Paulo (PUC-SP) nas plataformas dedicadas à publicação de artigos acadêmicos (a exemplo do ResearchGate – uma das maiores redes sociais nesse campo). Sem dúvida, uma conquista a ser comemorada, mas que não poderia ter sido viabilizada de outro modo, senão por intermédio de todos os seus esforços em prol da produção de conteúdo para apoiar o ensino, a pesquisa e a prática da Administração no Brasil.

Desde o diploma da graduação em Administração Pública pela Escola de Administração de Empresas de São Paulo da Fundação Getulio Vargas (FGV EAESP) até o doutorado em Administração na PUC-SP conquistado em 2020, passaram-se 28 anos, num período que compreendeu não somente o mestrado em Administração igualmente pela PUC-SP, como também nada menos que oito cursos de especialização, mais uma lista de cursos de extensão e uma série de publicações.

Sua produção acadêmica, em especial, pode ser dividida em quatro grandes grupos: (i) resumos e trabalhos completos publicados em anais de congressos, (ii) livros publicados/organizados ou edições, (iii) capítulos de livros publicados e (iv) artigos completos publicados em periódicos, sendo este, em especial, o grupo escolhido para a constituição deste livro.

No que diz respeito a esses artigos, especificamente, Rodrigo somou 22 deles de 2006 até agora, os quais foram contemplados por revistas altamente conceituadas pela Coordenação de Aperfeiçoamento de Pessoal de Nível Superior (CAPES), como demonstrado neste quadro geral:

Quadro 1 – Total de artigos completos publicados em periódicos.

Título do artigo	Autor(es)[1]	Periódico[2]	Ano
1. Aumento da competição no varejo e seu impacto na indústria	MOTTA, Rodrigo Guimarães; SILVA, A. V.	**Revista Gerenciais** (UNINOVE. Impresso), v. 5, n. 2, p. 101-108	2006
2. O individual e o social: Nelson de Paula Neto e o coronelismo	MOTTA, Rodrigo Guimarães; JUNQUEIRA, L. A. P.	**Revista SODEBRAS**, v. 12, n. 136, p. 75-81	2017

---

1. Elencados conforme a ordem em que são apresentados nos artigos publicados originalmente.
2. Por esta análise do livro nos permitir maior liberdade quanto à aplicação de normas técnicas, entendemos não ser necessária a elaboração de uma lista para referenciar as revistas nas quais esses artigos foram originalmente publicados, uma vez que no próprio quadro já constam os dados por meio dos quais os interessados poderão facilmente encontrá-los na sua versão digital.

3. Chiaki Ishii: uma pesquisa narrativa sobre o atleta que alavancou o judô no Brasil a partir das competências do esportismo	MOTTA, Rodrigo Guimarães; SANTOS, N. M. B. F.; CASTROPIL, W.	**Revista Pensamento & Realidade**, v. 32, n. 2, p. 123-140	2017
4. Esportismo: uma análise com judocas paralímpicos das competências que auxiliam o atingimento de desempenho esportivo superior	MOTTA, Rodrigo Guimarães; CEZÁRIO, C.; CASTROPIL, W.	**Revista SODEBRAS**, v. 12, n. 136, p. 33-37	2017
5. Esportismo: competências adquiridas no esporte que auxiliam o atingimento da alta performance profissional	MOTTA, Rodrigo Guimarães; CASTROPIL, W.; SANTOS, N. M. B. F.	**Revista SODEBRAS**, v. 12, n. 134, p. 25-30	2017
6. *Trade marketing*: uma análise a partir da estrutura das revoluções científicas	MOTTA, Rodrigo Guimarães; TURRA, F. J.; MOTTA, A. G.	**Revista SODEBRAS**, v. 12, n. 133, p. 76-82	2017
7. Análise sobre a constituição das ONGs brasileiras a partir dos conceitos de capital social e redes sociais	MOTTA, Rodrigo Guimarães; TURRA, F. J.; HIROKI, S.	**Revista SODEBRAS**, v. 12, n. 133, p. 24-29	2017
8. Antônio Conselheiro e João Abade: a teoria do Estado e Canudos	MOTTA, Rodrigo Guimarães	**Revista SODEBRAS**, v. 12, n. 133, p. 18-23	2017
9. *Trade marketing* na indústria nacional de bens de consumo não duráveis	MOTTA, Rodrigo Guimarães; SANTOS, N. M. B. F.	**PMKT: Revista Brasileira de Pesquisas de Marketing, Opinião e Mídia**, v. 11, n. 2, p. 159-174	2018
10. Homens em armas: a trajetória do policial civil para análise sobre vida, organização e poder	MOTTA, Rodrigo Guimarães; CORÁ, M. A. J.	**GVcasos: Revista Brasileira de Casos de Ensino em Administração**, v. 8, n. 1, p. 1-8	2018

11. Estudo de caso com as motivações, o método de implementação e o impacto do programa de gestão da qualidade total em vendas em uma indústria de bens de consumo não duráveis	MOTTA, Rodrigo Guimarães; LACERDA, L.; SANTOS, N. M. B. F.	**Gestão e Planejamento**, v. 19, p. 208-226	2018
12. A eficácia das redes sociais e das ferramentas de marketing no recrutamento de integrantes para organizações sem fins lucrativos	MOTTA, Rodrigo Guimarães; JUNQUEIRA, L. A. P.; TURRA, F. J.	**RPCA: Revista Pensamento Contemporâneo em Administração (UFF)**, v. 12, n. 1, p. 76-88	2018
13. Uma análise do crime corporativo de corrupção a partir da teoria dos custos de transação	LACERDA, L.; MOTTA, Rodrigo Guimarães; SANTOS, N. M. B. F.	**Revista Pensamento & Realidade**, v. 34, n. 3, p. 78-91	2019
14. Teoria do esportismo e as Economíadas: evento de festa e esporte universitário em São Paulo	MOTTA, Rodrigo Guimarães; CORÁ, M. A. J.	**Revista Pensamento & Realidade**, v. 34, n. 1, p. 94-110	2019
15. Uma crítica ao discurso da gestão da qualidade total a partir do pensamento de Maurício Tragtenberg	MOTTA, Rodrigo Guimarães; CORÁ, M. A. J.	**RBEO: Revista Brasileira de Estudos Organizacionais**, v. 6, n. 2, p. 352-383	2019
16. Intersetorialidade e redes: a trajetória de Luciano Antonio Prates Junqueira na Gestão Social	CORÁ, M. A. J. MOTTA, Rodrigo Guimarães	**Cadernos Gestão Pública e Cidadania**, v. 24, n. 79, p. 1-20	2019
17. A festa universitária como prática fomentadora de valores na organização: as Economíadas à luz da Ergologia	MOTTA, Rodrigo Guimarães; MOLA, I. C. F.; CORÁ, M. A. J.	**RIGS: Revista Interdisciplinar de Gestão Social**, v. 8, n. 2, p. 115-139	2019
18. A festa universitária como prática empreendedora: Economíadas em São Paulo	MOTTA, Rodrigo Guimarães; CORÁ, M. A. J.; MOLA, I. C. F.	**Teoria e Prática em Administração**, v. 9, n. 2, p. 52-63	2019

19. Construtora Maciel: o desafio de resgatar a credibilidade e manter o time em uma empresa envolvida na Lava Jato	MOTTA, Rodrigo Guimarães; CORÁ, M. A. J.	**GVcasos: Revista Brasileira de Casos de Ensino em Administração**, v. 9, n. 1, p. 1-6	2019
20. História, memória e identidade na Guerra de Canudos: o interdiscurso nos posicionamentos do Exército Brasileiro e da *Folha de S.Paulo*	MOTTA, Rodrigo Guimarães; MOLA, I. C. F.	**RPCA: Revista Pensamento Contemporâneo em Administração (UFF)**, v. 13, n. 2, p. 108-124	2019
21. Suor, superação e medalha: uma análise do discurso sobre a literatura *pop management* inspirada no esporte de competição	MOTTA, Rodrigo Guimarães; CORÁ, M. A. J.; MENDES, S. R. C.	**RBEO: Revista Brasileira de Estudos Organizacionais**, v. 6, n. 1, p. 77-101	2019
22. Enova Foods: o *trade marketing* como ferramenta para alavancar receita e rentabilidade	MOTTA, Rodrigo Guimarães; LACERDA, L.; WANDERLEY, D.; SANTOS, N. M. B. F.	**Brazilian Journal of Development**, v. 5, n. 1, p. 556-570	2019

Dos 22 artigos completos elencados, observamos que 21 deles correspondem a um profícuo período iniciado em 2017 e aqui estendido até 2019, num total de três anos durante os quais, como já antecipado, Rodrigo não desenvolveu as suas atividades exclusivamente como pesquisador. Na verdade, paralelamente a essa atuação, constava uma intensa rotina como consultor e esportista, configurando-se aí os outros três pilares nos quais a sua própria trajetória de vida se alicerça: **academia, trabalho e esporte**. E isto, claro, sem enveredarmos pelo percurso de **marido, de pai e de amigo**, cujas atenções e dedicação renderiam um livro à parte.

Tomadas todas essas frentes e o fato de que 14 dessas publicações se efetivaram no biênio 2018-2019, o de que estes também foram os seus dois últimos anos como doutorando em Administração e o de que Rodrigo seria repentinamente surpreendido no primeiro semestre de 2018 com dois acidentes vasculares cerebrais que o acometeriam num intervalo de apenas seis dias entre um e outro, demandando toda uma série de novos cuidados a partir daí, surge uma pergunta inadiável: **como dar conta de toda essa produção acadêmica?**

Embora a resposta corra o risco de parecer bastante simplificada diante da complexidade de todos os desafios superados, entendemos a necessidade de situá-la no próprio contexto do meio acadêmico. Isso porque, à parte os valores apreendidos no esporte (como disciplina e determinação) lhe serem extremamente caros para muito além do tatame, bem como a possibilidade de que seus outros tantos diferenciais também possam ter contribuído significativamente para este desfecho, o que Rodrigo fez foi seguir à risca uma já antiga orientação amplamente disseminada para quem se propõe ao empreendimento acadêmico: **transformar as próprias paixões em problemas de pesquisa.**

Além disso, mais um trunfo do autor dos artigos residiria no compartilhamento dessas paixões: ao manifestar todo o seu entusiasmo ante a possibilidade de empreender cada nova pesquisa, e em se fazendo cada vez mais reconhecer pelo seu compromisso quanto a efetivá-la de maneira criteriosa, Rodrigo somou 21 parcerias para esses 22 artigos. Na ordem em que vão surgindo na lista do Quadro 1, estão Antonio Vitorino da Silva, Luciano Antonio Prates Junqueira, Neusa Maria Bastos Fernandes dos Santos, Wagner Castropil, Cristian Cezário, Alfredo Guimarães Motta, Francisco José Turra, Stella Hiroki, Maria Amelia Jundurian Corá, Leandro Pereira de Lacerda, Iara Cristina de Fátima Mola, Silma Ramos Coimbra Mendes e Daniel Wanderley, num total de 13 coautores.

Tal como os títulos do Quadro 1 também permitem identificar, no conjunto de problemáticas sobre os quais se debruçou mais enfaticamente de 2017 a 2019 por meio dessas valiosas parcerias acadêmicas, estão os três grandes temas que Rodrigo estudaria tanto à luz do vasto arcabouço teórico da Administração quanto a partir de outras perspectivas que lhe renderiam fecundos diálogos interdisciplinares: **resultado, esporte e crítica**, sequência em que esta obra se assenta e a partir da qual, para que esta não se tornasse muito extensa, foram destacados dois artigos visando à ilustração de cada pilar, conforme demonstrado no Quadro 2:

Quadro 2 – Resultado, Esporte e Crítica: artigos selecionados para a composição deste livro.

Data	Periódico e dados de publicação	Artigo	Autores
Fev. 2017	Revista SODEBRAS, v. 12, n. 134, p. 25-30	Esportismo: competências adquiridas no esporte que auxiliam o atingimento da alta performance profissional	Rodrigo Guimarães Motta; Wagner Castropil; Neusa Maria Bastos Fernandes dos Santos.
Mai./ ago. 2018	PMKT: Revista Brasileira de Pesquisas de Marketing, Opinião e Mídia, v. 11, n. 2, p. 159-174	*Trade marketing* na indústria nacional de bens de consumo não duráveis	Rodrigo Guimarães Motta; Neusa Maria Bastos Fernandes dos Santos.
Jan./ dez. 2018	Gestão e Planejamento, v. 19, p. 208-226	Estudo de caso com as motivações, o método de implementação e o impacto do programa de gestão da qualidade total em vendas em uma indústria brasileira de bens de consumo não duráveis	Rodrigo Guimarães Motta; Leandro Pereira de Lacerda; Neusa Maria Bastos Fernandes dos Santos.
Jan./ mar. 2019	Revista Pensamento & Realidade, v. 34, n. 1, p. 94-110	Teoria do esportismo e as Economíadas: evento de festa e esporte universitário em São Paulo	Rodrigo Guimarães Motta; Maria Amelia Jundurian Corá.
Abr. 2019	RBEO: Revista Brasileira de Estudos Organizacionais, v. 6, n. 1, p. 77-101	Suor, superação e medalha: uma análise do discurso sobre a literatura *pop management* inspirada no esporte de competição	Rodrigo Guimarães Motta; Maria Amelia Jundurian Corá; Silma Ramos Coimbra Mendes.

| Out. 2019 | RBEO: Revista Brasileira de Estudos Organizacionais, v. 6, n. 2, p. 352-383 | Uma crítica ao discurso da gestão da qualidade total a partir do pensamento de Maurício Tragtenberg | Rodrigo Guimarães Motta; Maria Amelia Jundurian Corá. |

No Quadro 3, segue o modo como esses artigos estão organizados neste livro, de acordo com a sua classificação. Além disso, segue também especificada a metodologia adotada por Rodrigo em cada um deles, por meio da qual importa destacar a sua descoberta como um pesquisador essencialmente qualitativo, não obstante a área de Administração ser conhecida por reunir, majoritariamente, pesquisadores quantitativos.

Quadro 3 – Resultado, Esporte e Crítica: artigos na ordem em que aparecem no livro e sua respectiva metodologia.

Classificação do artigo	Título do artigo e ordem em que ele é apresentado na obra	Metodologia adotada
RESULTADO	1. *Trade marketing* na indústria nacional de bens de consumo não duráveis	Entrevista mediante questionário enviado por meio eletrônico, sendo que esse questionário foi dividido em dois temas: estratégias de *trade marketing* e estruturas de *trade marketing*.
	2. Estudo de caso com as motivações, o método de implementação e o impacto do programa de gestão da qualidade total em vendas em uma indústria brasileira de bens de consumo não duráveis	Estudo de caso, incluindo acesso ao programa de GQT em vendas, às apresentações de resultados expostas ao conselho de administração e aos dados brutos obtidos em cada um dos indicadores do programa da empresa. Compreendeu ainda questionário com perguntas abertas e fechadas elaborado na ferramenta on-line de pesquisa SurveyMonkey.

ESPORTE	3. Esportismo: competências adquiridas no esporte que auxiliam o atingimento da alta performance profissional	Estudo qualitativo de teoria fundamentada envolvendo entrevistas (por meio de um protocolo previamente estruturado) com indivíduos que compuseram uma amostra intencional. As entrevistas foram gravadas com a ciência dos participantes e a elas foram somadas as anotações dos pesquisadores.
	4. Teoria do esportismo e as Economíadas: evento de festa e esporte universitário em São Paulo	Pesquisa qualitativa que buscou descrever a cultura de um determinado grupo por meio de entrevistas que foram transcritas e associadas às anotações do observador participante.
CRÍTICA	5. Suor, superação e medalha: uma análise do discurso sobre a literatura *pop management* inspirada no esporte de competição	A Análise de Discurso de linha francesa foi tomada como dispositivo teórico-metodológico, viabilizando uma análise a partir da mobilização de alguns conceitos aplicados sobre o conteúdo de 11 publicações previamente definidas.
	6. Uma crítica ao discurso da gestão da qualidade total a partir do pensamento de Maurício Tragtenberg	Grupo focal e análise dos comentários dos participantes a respeito dos trechos de três filmes previamente selecionados, em relação aos quais foram aplicadas as três dimensões críticas extraídas do livro de Tragtenberg.

A começar pela trilha de **Resultado,** os dois artigos nela contidos remetem à paixão de Rodrigo pelo próprio trabalho, no qual constam posições ocupadas em algumas das mais bem-sucedidas empresas que operam no mercado brasileiro e atuações de liderança em empresas de projeção mundial. Antes de se dedicar à consultoria e de ser atual conselheiro de administração do Vita Ortopedia e Fisioterapia, ele foi sócio-diretor da Sucos do bem, um grande *case* de sucesso no mercado brasileiro que foi adquirido pela Ambev em 2016. Foi também *country manager* da Heineken no Brasil e diretor comercial da Nutrimental.

Assim, o Trade marketing *na indústria nacional de bens de consumo não duráveis*, escrito com a sua orientadora de mestrado e de doutorado na PUC-SP, Profa. Dra. Neusa Maria Bastos Fernandes dos Santos, deu-se como a tratativa de um tema que, oriundo do universo da sua prática de trabalho, estendeu-se à esfera de estudo da universidade como objeto de pesquisa aplicada.

Autor de Trade marketing: *teoria e prática para gerenciar os canais de distribui*ção, publicado em 2008 pela Campus já em coautoria com a Profa. Dra. Neusa Santos e também com o Prof. Dr. Francisco Antonio Serralvo, Rodrigo já discorria tanto acerca da estrutura e da gestão de um departamento de *trade marketing* quanto a respeito do perfil dos profissionais da área para a implementação de estratégias que permitissem a maior rentabilidade das empresas da indústria de bens de consumo não duráveis, atravessada por desafios surgidos em meio à própria globalização das redes supermercadistas, ao aumento da consolidação dos supermercados e ao fortalecimento das marcas próprias.

Imerso profissionalmente nessa área e praticamente "convocado" a dar a sua própria colaboração como especialista atuante nesse mercado, os interesses do administrador e os do pesquisador se estreitaram e se fortaleceram ainda mais no mesmo acadêmico com vistas à mesma finalidade. Destarte, não bastasse o aumento da rentabilidade almejado pelo próprio setor, o estudo da implementação do *trade marketing* como um departamento evidenciaria resultados que beneficiariam ainda os próprios varejistas, agora atendidos com mais excelência na sua condição dupla de consumidores e fornecedores das empresas desse ramo.

Da mesma forma como no *trade marketing*, o *Estudo de caso com as motivações, o método de implementação e o impacto do programa de gestão da qualidade total em vendas em uma indústria brasileira de bens de consumo não duráveis*, também com a Profa. Dra. Neusa Santos e agora com o administrador e seu parceiro profissional Leandro Pereira de Lacerda (mestre em Administração pela PUC-PR), foi uma investigação que inicialmente correspondeu a um "prolongamento" das suas inquietações, observações e busca por resultados no caráter de profissional, ganhando depois a dimensão de uma tese de doutorado.

Nesse caso, o estudo das *motivações* de uma empresa do segmento da indústria brasileira de bens de consumo não duráveis para a implementação de um programa de GQT em vendas refletia o próprio interesse de Rodrigo na sua condição de consultor. Quanto ao *método de implementação* para tanto, essa mesma condição lhe facultava o acesso à fonte de dados primária dessa e das demais empresas nas quais a sua investigação ganharia ainda mais consistência metodológica. No que diz respeito a uma correlação com o *impacto* decorrente da implementação do programa, esse mesmo estudo não só lhe conferiria cada vez mais reconhecimento profissional, como também lhe renderia um impacto de maior alcance na sua trajetória acadêmica por meio de apresentações em congressos, outros artigos, trabalho de conclusão de curso, dissertação, tese e, agora, livro.

Na trilha do **Esporte**, os dois artigos nela contidos remetem à paixão de Rodrigo pelo esporte e, claro, à sua formação como atleta. Faixa vermelha e branca 6 DAN de judô na categoria de veteranos, ele é um dos principais atletas do país, já tendo sido terceiro colocado em campeonato mundial, campeão pan-americano, tetracampeão sul-americano e tetracampeão brasileiro. Faixa preta de jiu-jítsu, foi também campeão mundial e campeão brasileiro entre os veteranos.

Em *Esportismo – competências adquiridas no esporte que auxiliam o atingimento da alta performance profissional* e em *Teoria do esportismo e as Economíadas: evento de festa e esporte universitário em São Paulo*, Rodrigo articulou os conhecimentos adquiridos no campo do esporte com aqueles advindos da sua base de formação, aproximando suas duas áreas de enorme apreço e por entre as quais transita com muita familiaridade.

No primeiro, um pouco mais detalhadamente, escrito com a Profa. Dra. Neusa Santos e com o dr. Wagner Castropil, seu amigo e ex-judoca brasileiro que atuou como médico da Seleção Brasileira de Judô, Rodrigo identificou cinco competências esportivas que podem colaborar com a formação de melhores empresários e executivos na área de negócios, a exemplo do que já aventava em relação à sua própria realidade como executivo e também como judoca. Mas foi o seu exercício como pesquisador que, por meio das entrevistas realizadas com 125 participantes, permitiu-lhe a constatação de que *atitude*, *visão*, *estratégia*, *execução* e *teamwork* (cujas definições são oportunamente apresentadas no próprio artigo, aqui reproduzido no capítulo 3) se revelariam determinantes para além do sucesso esportivo dos entrevistados. Estendidas do esporte à sua atuação profissional, todos eles reconheciam que, consorciada à sua formação acadêmica e experiência profissional, a aplicação de cada uma delas também contribuíra decisivamente para o sucesso da sua carreira, dado tê-los preparado melhor para o enfrentamento de todos os desafios inerentes a esse campo, já tão naturalmente competitivo.

Deste modo é que, aliando a experiência profissional à experiência esportiva, Rodrigo Guimarães Motta desenvolveria a "teoria do esportismo", que, além de livro, já foi tema de palestras, seminários e *workshops*.

No segundo artigo da trilha do Esporte, agora em parceria com a Profa. Dra. Maria Amelia Jundurian Corá, Rodrigo avança, tomando como objeto de estudo o desenvolvimento dessas cinco competências por parte dos alunos de Administração que, em 2017, organizaram e participaram como atletas de um dos eventos universitários mais marcantes para a trajetória e para a formação universitária dos discentes nele envolvidos: as Economíadas.

Aqui, mais uma vez, os feitos de fora do espaço acadêmico ganharam lugar dentro dele, já que, enquanto ainda era aluno de Administração da FGV EAESP, Rodrigo foi também presidente da Associação Atlética Acadêmica Getulio Vargas (AAAGV) – a qual, por sua vez, passando a integrar a Liga das Associações Atléticas Acadêmicas de Ciências Econômicas (LAAACE), organizou a primeira edição das Economíadas. Nesse espaço de encontros, em parceria com a Profa. Maria Amelia Corá, o então doutorando produziu uma análise inédita, fomentando a reflexão quanto à aprendizagem pela prática e pelo desenvolvimento de competências a partir da teoria do esportismo por ele mesmo engendrada e agora vivenciada por estudantes em festas universitárias.

Ainda no que diz respeito a esses dois artigos destacados para ilustrar a coluna do Esporte, é interessante observar que, numa associação que podemos propor entre esse pilar e a posição que ela ocupa de "meio" (está no "meio" dessa trajetória), o primeiro artigo (teoria do esportismo) se orienta mais na direção dos resultados (primeiro pilar), ao passo que, o segundo (Economíadas), na direção dos estudos críticos (terceiro pilar).

Por fim, na trilha da **Crítica**, em que figuram *Suor, superação e medalha: uma análise do discurso sobre a literatura* pop management *inspirada no esporte de competição* e *Uma crítica ao discurso da gestão da qualidade total a partir do pensamento de Maurício Tragtenberg*, Rodrigo expande a sua produção acadêmica ao ampliar as perspectivas teóricas pelas quais vinha se orientando até então.

No primeiro artigo, também escrito com a Profa. Maria Amelia e agora com a Profa. Dra. Silma Ramos Coimbra Mendes, a aproximação entre a esfera do esporte e a esfera do trabalho se processa mediante a mobilização de conceitos advindos da Análise do Discurso de linha francesa, tendo em vista a análise discursiva (portanto, uma análise crítica) da chamada literatura *pop management*, a qual ganhou bastante notoriedade e segue ainda causando bastante impacto no mundo corporativo, no qual Rodrigo sempre esteve igualmente inserido.

Ao procurar contribuir para o entendimento do fenômeno do *pop management* a partir da experiência do esporte – na qual a relação, o papel e o perfil dos atletas se fundem aos resultados esperados dos profissionais de gestão –, o artigo já parte da desconstrução de um discurso idealizado (numa oposição ideal x real), segundo o qual a conquista dos objetivos profissionais se daria mediante a simples tomada de posição (do "querer"), desprezando todas as variáveis internas e externas ao próprio contexto em que se organiza a cultura empresarial.

Já no segundo artigo, escrito com a Profa. Dra. Maria Amelia Corá, Rodrigo definitivamente ingressaria nos conteúdos apreendidos durante as aulas da própria Profa. Maria Amelia e do Prof. Dr. Luciano Antonio Prates Junqueira. Valendo-se dos três parâmetros para a elaboração de Estudos Críticos da Administração (ECA) conforme o proposto por Eduardo Davel e Rafael Alcadipani em 2003,[3] ele compreende a possibilidade de conduzir uma pesquisa que estimule uma visão desnaturalizada da administração e que seja emancipatória, e não voltada para o desempenho. Em outras palavras, Rodrigo passa a se opor à teoria dominante nessa área, para a qual tanto a forma com que as organizações se estabelecem quanto as relações existentes dentro delas seriam "naturais", e não resultantes de uma construção sócio-histórica. E, concomitantemente, alinha-se no sentido de que o propósito dos estudos não mais se detém na busca pela potencialização dos resultados das empresas, mas na problematização das práticas sob o enfoque do indivíduo trabalhador.

Assim é que, apropriando-se da obra *Burocracia e ideologia* publicada por Maurício Tragtenberg em 1977 e analisando as impressões de um dado grupo de trabalhadores envolvidos num programa de qualidade total, Rodrigo, em parceria com a Profa. Maria Amelia, constata que o sucesso desses programas, sobre os quais ele mesmo vinha desenvolvendo outros estudos, reflete-se na ausência de uma abordagem crítica tanto por parte dos trabalhadores quanto por parte dos próprios pesquisadores.

Nesse momento, mais do que se firmar como um pesquisador essencialmente qualitativo, Rodrigo Guimarães Motta amadurecia,

---

3. A referência completa acerca da proposta de Davel e Alcadipani encontra-se neste livro ao final do capítulo 6.

então, como um pesquisador cada vez mais crítico, promovendo sua mais nova contribuição para a área.

Nos capítulos a seguir, nos quais estão reproduzidos os seis artigos cuidadosamente revisados, fica o convite à leitura para leitores e leitoras interessados nos registros de um caminho acadêmico percorrido paulatina e acertadamente na área da Administração. Um caminho no qual não se encontram quaisquer vestígios de "receita de sucesso", mas que não deixa de se constituir como uma referência para quem entende que o objetivo final só pode ser alcançado passo a passo, seja para a consolidação de uma carreira acadêmica, seja para a trajetória de uma vida acadêmica.

TRILHA 1

CRÍTICA

RESULTADO

ESPORTE

CAPÍTULO 1

TRADE MARKETING NA INDÚSTRIA NACIONAL DE BENS DE CONSUMO NÃO DURÁVEIS[4]

Rodrigo Guimarães Motta
Neusa Maria Bastos Fernandes dos Santos

RESUMO

Assim como nos mercados maduros, ocorreram mudanças no varejo alimentício brasileiro. Em especial, a globalização das redes supermercadistas, o aumento da consolidação dos supermercados e o fortalecimento das marcas próprias, fazendo com que as indústrias passassem a ser muito pressionadas pelos clientes que hoje demandam maiores descontos e melhores serviços – o que reduz a rentabilidade dos fabricantes. Mediante um estudo qualitativo no qual foram entrevistados executivos de 25 empresas de bens de consumo não duráveis, cada uma com faturamento superior a R$ 100 milhões por ano, verificou-se que uma alternativa para recuperar os negócios das indústrias é a implementação do departamento de *trade marketing*, cuja meta é adequar a estratégia,

---

4. Originalmente publicado na **PMKT: Revista Brasileira de Pesquisas de Marketing, Opinião e Mídia**, v. 11, n. 2, mai./ago. 2018, p. 159-174.

a estrutura e a operação da companhia à dinâmica dos canais de distribuição, com o objetivo de atender melhor e mais rentavelmente seus clientes e, por seu intermédio, os consumidores. O estudo apresenta as estratégias de *trade marketing* que demandam a adaptação do *marketing mix* às necessidades dos canais de distribuição, as suas estruturas e funções – que têm variada gama de formatos – e, ainda, o perfil do profissional para atuar na área – o qual, além de uma sólida formação acadêmica, deve contar com experiência prévia nos departamentos de marketing e vendas.

Palavras-chave: Bens de consumo. *Trade marketing*. Varejo.

1. INTRODUÇÃO

Até o início da década de 1990, no Brasil e no mundo, a indústria de bens de consumo não duráveis dispunha tanto de um departamento de marketing quanto de um departamento de vendas, ambos com papéis bem definidos. Segundo Randall (1994) e Moricci (2013), o departamento de marketing tinha como foco o consumidor, desenvolvendo planos de negócios que o impactassem, considerando, para tanto, as variáveis do *marketing mix* (produto, preço, promoção e ponto de venda). Já o departamento de vendas conduzia as negociações do portfólio de produtos e atividades com os clientes, varejistas atendidos direta ou indiretamente. O ponto de venda, especificamente, era considerado uma variável controlável pela empresa, pois os clientes – em sua maior parte, com atuação regional no Brasil – não podiam deixar de ter as principais marcas nas suas prateleiras.

Com o decorrer do tempo, as indústrias foram perdendo poder de barganha para os varejistas. Estes, nos últimos 20 anos, passaram por um processo acelerado de globalização, consolidação e desenvolvimento de marcas próprias. Assim, mais fortes e com uma estrutura profissionalizada, hoje os varejistas são grandes empresas internacionais – a exemplo do Casino (Grupo Pão de Açúcar), do Carrefour e do Walmart – ou sólidas empresas nacionais, as quais, tanto numa configuração quanto em outra, pressionam cada vez mais as indústrias pela obtenção de maiores descontos e serviços. Em decorrência disso, as indústrias, por sua vez, enfrentaram acentuada queda na rentabilidade das suas operações (MOTTA; TURRA; MOTTA, 2017). Nesse contexto, uma alternativa que elas implementaram com o propósito de reverter a situação foi a constituição do departamento de *trade marketing*, que propõe que os seus clientes (os varejistas) passem a ser tratados como consumidores, isto é, que passem a ser tratados com estratégias desenhadas para atendê-los com excelência, sem reduzir o lucro dos fornecedores – ou, se possível, recuperando-o.

2. PROBLEMA DE PESQUISA

O problema desta pesquisa consiste em verificar quais as estratégias e estruturas de *trade marketing* desenvolvidas para atender ao impacto das mudanças do varejo alimentício nas indústrias. Alinhado a essa dúvida, o objetivo do artigo é conhecer as estratégias e estruturas de *trade marketing* desenvolvidas pelas indústrias de bens de consumo não duráveis para responder às transformações pelas quais os varejistas alimentícios passaram no Brasil.

A pertinência da realização deste estudo se dá ante a constatação da necessidade de que, no Brasil de hoje, sejam produzidas pesquisas para a formação e o aperfeiçoamento dos departamentos de *trade marketing* e dos profissionais que atuam nessa área, a fim de que esses estudos se somem aos seminários existentes que abordam o tema, bem como ao conhecimento já adquirido pelas indústrias que têm alguma experiência no setor.

Por ser um conceito que ganhou relevância há pouco tempo nas organizações, não é encontrada ampla bibliografia nacional ou estrangeira a respeito do assunto. Em vista disso, por ter como objeto de estudo a descrição das mudanças ocorridas no varejo alimentício e as estratégias e estruturas dos departamentos de *trade marketing* pesquisados, o presente artigo pode ser considerado um estudo exploratório-descritivo combinado. Segundo Marconi e Lakatos (2005, p. 190), o estudo exploratório-descritivo combinado tem por finalidade "descrever completamente determinado fenômeno", sendo que nele "podem ser encontradas tanto descrições quantitativas e/ou qualitativas quanto acumulação de informações detalhadas", e ainda no qual "dá-se precedência ao caráter representativo sistemático", de modo que seus procedimentos de amostragem "são flexíveis".

Mattar (1996) considera que há diversos métodos de se conduzir uma pesquisa. O que foi escolhido para a elaboração deste trabalho é o levantamento de experiências, que pode ser utilizado naquelas situações em que parte relevante dos conhecimentos e experiências adquiridos não foi ainda documentada. Foi escolhida uma amostra intencional de indústrias que fizessem parte de um determinado ramo de atividade – a produção e a comercialização de bens de consumo não duráveis.

3. REVISÃO BIBLIOGRÁFICA

3.1. Mudanças no varejo e o impacto nas indústrias

De acordo com Kumar (2004), até a década de 1980, a atuação dos varejistas em geral caracterizava-se por ser local e fragmentada, limitando-se a um país ou a uma região do país de origem. No Brasil, até a entrada do Carrefour, na década de 1970, todos os maiores varejistas de alimentos eram empresas nacionais, a maior parte delas com atuação em determinada região do país. Tratava-se de negócios familiares, gerenciados pelos proprietários, sem a utilização das melhores ferramentas de gestão e sem profissionais especializados. Em suma, esse era um setor da economia que transmitia a imagem de um negócio simples que, para ser gerenciado, não necessitava de mão de obra qualificada (MOTTA; SANTOS; SERRALVO, 2008; MOTTA; TURRA; MOTTA, 2017). As indústrias, por sua vez – muitas delas multinacionais –, utilizavam seu poder superior de barganha para coagir os varejistas quando necessário, de forma a atingir seus objetivos, já que os varejistas eram obrigados pelos consumidores a ter os produtos líderes nas suas prateleiras – caso contrário, esses produtos seriam adquiridos nos concorrentes.

Mudanças na configuração dos varejistas – em especial, a globalização e a consolidação das redes do setor supermercadista –, que ocorreram em primeiro lugar nos mercados mais maduros (como Estados Unidos e Europa), fizeram com que as maiores redes passassem a ter um grande poder de negociar descontos e serviços com as indústrias, o que é confirmado pela afirmação de Randall (1994, p. 3): "a balança de poder parece ter se movido em direção aos varejistas". Esse movimento impulsionou redes que antes tinham atuação regional a se expandir para outros países com lojas próprias ou com a aquisição de redes locais.

Segundo Seth e Randall (2005), a globalização dos varejos é uma realidade consolidada para os principais varejos alimentícios do mundo, como Walmart, Carrefour, Tesco, Ahold e Costco, que hoje têm participação significativa do seu faturamento obtida em outros países que não o seu país-sede. Para acelerar a entrada em novos países, a estratégia é composta pela abertura de lojas para concorrer com os varejistas locais, ou então se dá pela própria aquisição desses varejistas, o que acaba gerando uma consolidação das vendas totais nos varejistas globais que são bem-sucedidos no seu processo de internacionalização. Os varejistas regionais remanescentes buscam expandir seus negócios para poder competir com os gigantes mundiais (PARENTE; BARKI, 2014).

Segundo Porter (1989), a competitividade é uma questão central para as empresas de diferentes setores, e o varejo não é uma exceção. Corstjens e Corstjens (1994) explicam que os varejistas competem acirradamente entre si por participação nas vendas de bens de consumo. Existe a possibilidade de ser mais competitivo por meio da oferta de produtos com marca própria (comercializados exclusivamente pelo varejista que detém a marca) e com preços compatíveis (quando comparados aos das marcas líderes), desde que tenham qualidade razoável ou boa (também quando comparados aos das marcas líderes), sabendo-se que esse é mais um fator que pode prejudicar a rentabilidade das indústrias e das suas marcas.

As consequências imediatas da globalização, da consolidação e do surgimento das marcas próprias são a obtenção de melhores resultados por parte dos varejistas e a queda de rentabilidade das indústrias, cada vez mais pressionadas por eles para lhes oferecer preços mais competitivos e serviços adicionais. Há indícios de que esse fenômeno também esteja acontecendo no Brasil. Motta e Silva (2006) verificaram que, na visão das indústrias, há sete tendências relevantes ocorrendo no varejo brasileiro: globalização dos varejistas, consolidação das redes varejistas, surgimento de novos formatos varejistas, aparecimento de marcas próprias, constituição de centrais de negócios por parte de pequenos varejistas, concorrência de varejistas de configurações distintas e implementação do varejo on-line. Para as indústrias, essas mudanças são prejudiciais aos seus negócios, e 70% dos entrevistados declararam que seu resultado piorou nos últimos anos em função das mudanças ocorridas no varejo.

3.2. Marketing e vendas

Antes dessas grandes mudanças ocorridas no varejo, as áreas comerciais das empresas de bens de consumo não duráveis desenvolveram modelos de estrutura que, apesar das características de cada segmento e até mesmo de cada indústria em particular, têm semelhanças entre si, com destaque para a existência dos departamentos de marketing e vendas.

Para aprofundar toda a extensão do trabalho desenvolvido em marketing, Grönroos (1989, p. 54, tradução livre) recupera a definição feita pela American Marketing Association: "Marketing é o processo de planejar e executar a concepção (do produto), precificação, promoção e distribuição de ideias, bens e serviços para criar trocas e satisfazer objetivos individuais e organizacionais". Essa definição apresenta o estudante ou o profissional de marketing ao composto de marketing ou *marketing mix*, que são (ou deveriam ser) as variáveis controláveis que o executivo da área deve gerenciar, de forma a atingir os objetivos de negócios da empresa, conhecidas como "os quatro P's": produto, preço, promoção e ponto de venda. Amplamente reconhecidas pelos gerentes de marketing, essas foram, durante décadas, as principais responsabilidades de um executivo de marketing, sendo interessante destacar que o ponto de venda era considerado uma variável controlável pelas indústrias (e pelos próprios acadêmicos de marketing).

Já os departamentos de vendas, cujo principal objetivo é abastecer os varejistas atendidos pelas indústrias, tinham como rotina de trabalho visitar os clientes varejistas da empresa e lhes vender os produtos da indústria, abastecer as prateleiras de cada ponto de venda e prospectar novos clientes. Nesse estágio da indústria de bens de consumo, a busca pelo entendimento dos canais de distribuição era muito limitada em função da pouca força dos varejistas, considerando-se esses canais uma variável "controlável" dos negócios (MOTTA; CORÁ, 2017), como já foi assinalado.

3.3. Trade marketing

Para responder ao novo cenário de negócios, era necessário entender e interagir com os canais de distribuição de forma diferente daquela empreendida anteriormente. Os departamentos de marketing e vendas, bem como os planos e as operações sob sua responsabilidade, não eram mais capazes de entregar os níveis de resultados esperados pelas indústrias de bens de consumo. O ponto de venda não podia mais ser entendido como uma variável controlável: ele deveria merecer um tratamento personalizado, tão bom quanto ou melhor do que aquele oferecido aos consumidores de bens de consumo (ALMEIDA et al., 2012).

Segundo Randall (1994), os primeiros departamentos de *trade marketing* foram organizados na Europa, quando, nas décadas de 1980 e 1990, os varejistas europeus passaram por muitas transformações, as quais depois se espalharam pelo mundo, como a consolidação das grandes redes. Já no Brasil, também levando em consideração essa origem, Motta, Santos e Serralvo (2008) desenvolveram um conceito genérico de *trade marketing* que oferece a seguinte definição: o *trade marketing* opera para adequar a estratégia, a estrutura e a operação da companhia à dinâmica dos canais de distribuição, com o objetivo de atender melhor e mais rentavelmente seus clientes e, por seu intermédio, os consumidores.

O primeiro desafio desse novo departamento é desenhar a estratégia de canais de distribuição da indústria (SILVA NETO; MACEDO-SOARES; PITASSI, 2011). Para ser efetiva, a estratégia de canal, conforme Rosenbloom (2002), necessita ser coerente com os objetivos e as estratégias de marketing, a fim de que os produtos sejam disponibilizados de forma efetiva aos consumidores-alvo. Essa estratégia deve estar preparada para customizar o composto de marketing ou *marketing mix* (produto, preço, promoção e ponto de venda) às necessidades de cada canal de distribuição, visando a atender de forma satisfatória os clientes e os consumidores da indústria. Esse composto customizado, que constitui o *trade marketing mix*, emprega maior e mais acurado foco nos canais de distribuição. O foco em conhecer as necessidades dos varejistas, inseri-las no *marketing mix* e, dessa forma, implementar efetivamente as estratégias das empresas, é feito por uma estrutura que vem ganhando força cada vez maior nos últimos anos e que é o objeto de estudo desta pesquisa – o *trade marketing*.

4. METODOLOGIA

Foram selecionados 25 executivos de marketing, *trade marketing* e vendas, por serem esses os departamentos que têm maior interação com as atividades de *trade marketing*. Foram aceitos analistas, coordenadores, gerentes e diretores como entrevistados, desde que tivessem pelo menos cinco anos de experiência em um dos três departamentos mencionados e que, nesse período, tivessem tido contato com estratégias e estruturas de *trade marketing*. Todos os respondentes deveriam trabalhar em empresas de bens de consumo com faturamento mínimo de R$ 100 milhões por ano. Isso porque, ainda que possam desenvolver estratégias e planos de *trade marketing*, empresas de pequeno porte têm menos recursos disponíveis para implementar esse tipo de estrutura – o que era um dos temas de interesse da pesquisa.

Devido à atribulada agenda dos executivos das empresas selecionadas e mencionadas na Tabela 1, foi decidido lhes enviar os questionários pelo correio eletrônico e solicitar que fossem preenchidos e devolvidos da mesma maneira. De acordo com recomendação da literatura (YIN, 2016; CRESWELL, 2013; COOPER; SCHINDLER, 2016), a todos os entrevistados foi assegurado sigilo quanto à sua identificação, para evitar que ocorressem respostas enviesadas.

Tabela 1 – Indústrias pesquisadas.

Indústria	Área do entrevistado	Produtos
Arcor	*Trade marketing*	Alimentos
Bauducco	Vendas	Alimentos
Bimbo	Marketing	Alimentos
Bombril	*Trade marketing*	Higiene e limpeza
Brasfrigo	*Trade marketing*	Alimentos
Cadbury	Vendas	Alimentos
Coca-Cola	Marketing	Bebidas
Coca Femsa SP	*Trade marketing*	Bebidas

Colgate	Trade marketing	Higiene e beleza
Del Valle	Marketing	Bebidas
Diageo	Trade marketing	Bebidas
Faber-Castell	Vendas	Materiais para escritório
Heineken	Trade marketing	Bebidas
Fleischmann Royal	Trade marketing	Alimentos
Hypermarcas	Trade marketing	Alimentos, higiene e beleza
Johnson & Johnson	Vendas	Higiene e beleza
Nestlé	Vendas	Alimentos e bebidas
Nutrimental	Marketing	Alimentos
Pepsico	Trade marketing	Alimentos e bebidas
Procter & Gamble	Marketing	Alimentos, higiene e beleza
Red Bull	Vendas	Bebidas
Sadia	Marketing	Alimentos
Spaipa	Trade marketing	Bebidas
União	Vendas	Alimentos
Unilever	Trade marketing	Alimentos, higiene e beleza

Para desenvolver o questionário de pesquisa, foi seguida a metodologia sugerida por Marconi e Lakatos (2005). O assunto a ser pesquisado foi dividido em dois temas: estratégias de *trade marketing* e estruturas de *trade marketing*. Uma vez definidos os temas, as perguntas foram elaboradas alternando perguntas fechadas, abertas e de múltipla escolha, permitindo ao entrevistado responder de forma mais abrangente e emitir opiniões de acordo com a complexidade do tema a ser investigado (quanto mais complexo o tema, mais abrangente foi o tipo de pergunta elaborada).

Ao iniciar a tabulação das respostas, constatou-se que 12 entrevistados haviam respondido de forma muito superficial às perguntas abertas; por essa razão, foi agendada uma entrevista com cada um deles, realizada após três meses do recebimento do último questionário respondido, e muitas dúvidas foram aí esclarecidas.

É interessante destacar que, nesse intervalo de tempo, duas das empresas que haviam respondido não ter uma estrutura de *trade marketing* implementaram esse departamento, de modo que puderam enriquecer o material com a perspectiva de empresas que iniciam o trabalho na área que foi objeto do estudo.

5. RESULTADOS – ESTRATÉGIAS DE *TRADE MARKETING*

Os departamentos de *trade marketing* têm pela frente o desafio de elaborar estratégias capazes de aumentar a rentabilidade dos seus negócios diante das mudanças pelas quais o varejo alimentício passou no Brasil. Além dos planos de negócios por produto que, historicamente, são desenvolvidos pelos departamentos de marketing, as estratégias de *trade marketing* são desenvolvidas e formalizadas mediante a elaboração e a aprovação de um plano anual de negócios por canal de distribuição que, com exceção de uma empresa, já é feito em todas as entrevistadas.

Para propiciar aprofundamento no conteúdo desses planos de negócio por canal, a pesquisa investigou quais são os possíveis compostos de *trade marketing* (*trade marketing mix*) que correspondem à principal parte da adaptação das estratégias de marketing aos canais de distribuição. Como esse *mix* desenvolvido a partir do *marketing mix* é composto pelos quatro P's (ponto de venda, promoção, preço e produto), cada um desses itens foi investigado.

5.1. Ponto de venda

Quanto ao ponto de venda, os principais canais-foco são os hipermercados e os supermercados, inclusive porque são os que mais vendem bens de consumo e os que mais passaram por grandes mudanças – em especial, a globalização e a consolidação das redes supermercadistas –, o que vem gerando impacto negativo nos resultados das indústrias de bens de consumo não duráveis e, portanto, demandando muita atenção nesse momento, de forma que seja possível reverter o quadro de lucros decrescentes.

Muitas empresas têm uma equipe de vendas enxuta; elas comercializam seus produtos aos varejistas utilizando intermediários que podem ser distribuidores (que vendem exclusivamente os produtos de uma empresa ou de um fornecedor em cada segmento, como alimentos, bebidas, higiene) ou atacados (que vendem os produtos de diversas empresas em cada segmento). Mesmo que não vendam exclusivamente seus produtos por meio de atacados ou distribuidores, todas as empresas pesquisadas utilizam esses canais como ferramenta para, pelo menos, complementar suas vendas para aqueles pontos de venda que não são atendidos diretamente, seja por seu pequeno potencial de vendas, seja pela dificuldade de acesso geográfico ou por outra razão.

Dessa forma, desenvolver esses canais também é um desafio importante que pode ser comprovado pelo fato de a maior parte dos pesquisados considerar os distribuidores e/ou os atacados como canais-foco de atuação. Os demais canais de distribuição – como minimercados, padarias, mercearias e bares – são considerados foco por uma parcela menor dos pesquisados do que os citados anteriormente. Porém, segundo os executivos das indústrias, a importância desses canais na elaboração das estratégias de *trade marketing* deve crescer, de maneira a aumentar as vendas para esses canais e, assim, reduzir a dependência dos hipermercados e supermercados.

Uma vez estabelecidos os canais-foco, deve ser definido qual o papel de cada canal – o que é feito em quase todas as empresas pesquisadas, tendo como única exceção uma empresa que constituiu seu departamento de *trade marketing* há menos de um ano.

O papel do canal determina os benefícios aos quais a indústria aspira, sendo que, após ser estabelecido esse papel, é definida a estratégia de atuação nesse canal.

O papel de gerador de volume é aquele mais presente no desenho das estratégias de ponto de venda do *trade marketing mix*. Isso porque, conforme lembraram alguns dos entrevistados, as metas de vendas de muitas empresas são estabelecidas em volume de vendas; então, é lógico definir quais são os canais que contribuem mais significativamente para atingir seu objetivo.

O segundo papel com a maior incidência no *trade marketing mix* é aquele de gerador de rentabilidade. O principal motivo declarado é, como visto anteriormente, a necessidade que as indústrias de bens de consumo não duráveis têm em recuperar a rentabilidade afetada pelas mudanças ocorridas no varejo. Por isso, essas empresas têm cada vez mais voltado seus esforços para canais potencialmente mais rentáveis, como padarias, mercearias e bares, nos quais é possível comercializar seus produtos sem oferecer tantos descontos e serviços como é necessário nas grandes redes multinacionais e nacionais de supermercados.

O terceiro papel mais utilizado na elaboração da estratégia é o de gerador de imagem. Segundo os entrevistados, há duas possíveis situações em que o canal recebe esse papel. Uma delas é quando a empresa desenvolve um canal com baixo volume de vendas, mas que, por meio da localização privilegiada dos estabelecimentos, gera visibilidade dos seus produtos aos consumidores. A outra possibilidade para um canal ser um gerador de visibilidade no caso das indústrias (em especial, aquelas de médio porte que não têm poder de barganha e que acabam sendo bastante exigidas nas negociações com as grandes redes de autosserviço que não têm mais lucro ou têm prejuízo com esse tipo de transação) é não deixar de vender seus produtos para esse canal de distribuição, pois elas utilizam as gôndolas desses supermercados como forma de comunicar seus produtos aos potenciais consumidores que ali se abastecem. Essas indústrias buscam vender o mínimo possível a esses clientes para não comprometer seu resultado, e focam seus esforços em comercializar o máximo possível naqueles canais geradores de rentabilidade.

Finalmente, os outros dois possíveis papéis que os canais de distribuição podem receber são o de gerador de receita e o de gerador de distribuição. O papel de gerador de receita é semelhante ao papel de gerador de volume, enquanto o papel de gerador de distribuição serve tanto para aqueles canais que complementam a distribuição direta de uma empresa (atacados e distribuidores) quanto para aqueles formados por pequenos pontos de venda que, apesar de individualmente representarem pouco sobre as vendas totais, passam a ser representativos no seu somatório, quando o produto é distribuído para um grande número desses pontos de venda. Um exemplo de um canal gerador de distribuição, nessa última situação, são os bares em relação às indústrias de bebida.

Uma vez definidos os canais-foco de atuação e o papel de cada canal, é necessário definir qual a distribuição esperada em cada um dos canais a serem atendidos, uma vez que dificilmente será possível para uma empresa atender diretamente todos os clientes potenciais de determinado canal. Com exceção, talvez, dos hipermercados e supermercados, que se constituem em canais de distribuição com um número absoluto de lojas menor do que o dos demais canais. A maioria dos entrevistados adota essa definição, que não é seguida apenas pelas empresas que constituíram seus departamentos de *trade marketing* há menos de um ano.

A maior parte das empresas pesquisadas oferece serviços para assegurar o abastecimento dos canais de distribuição; porém, é interessante destacar que, na amostra estudada, essa é uma atribuição principalmente do departamento de logística, de acordo com demandas feitas por intermédio da equipe de vendas. Por um lado, essa atribuição faz sentido, pois a equipe de vendas deve estar preocupada em garantir a máxima eficiência no atendimento dos clientes, e o departamento de logística existe para assegurar a disponibilidade do produto. Porém, como declarou um entrevistado, se o departamento de *trade marketing* for percebido em toda a sua plenitude, é necessário que seja envolvido na elaboração do pacote logístico, para assegurar o atendimento às necessidades e às oportunidades desenhadas no plano anual de negócios de cada canal.

Os serviços logísticos mencionados pelos entrevistados podem ser divididos em dois tipos: os destinados aos canais de distribuição geradores de volume (hipermercados, supermercados e atacados) e os serviços voltados aos demais clientes. Para o primeiro grupo, os serviços mencionados são entregas diárias, entregas agendadas, prioridade nas entregas, EDI, entrega FOB (os clientes vão retirar o produto na fábrica e recebem um incentivo por isso, visto que a indústria não tem o custo da entrega), controle de rupturas (os pedidos são acionados sempre que há risco de desabastecimento) e descontos por pedidos otimizados (cargas fechadas, por exemplo). Já para o segundo grupo, as indústrias buscam, no caso de clientes atendidos diretamente, ter uma sistemática de visitas da equipe de vendas e de entregas que evite desabastecimento. No caso de clientes atendidos por distribuidores, o desafio das empresas é assegurar que essa sistemática de trabalho de vendas e entrega seja realizada pelo distribuidor que abastece os clientes de menor porte.

5.2. Promoções

Esse componente aborda as promoções destinadas a alavancar as vendas em determinado canal de distribuição e é, segundo os entrevistados, o primeiro a ser delegado ao departamento de *trade marketing*. Isso acontece porque as grandes empresas de bens de consumo sempre dedicaram a maior parte dos seus esforços e investimentos ao desenvolvimento de ações de marketing voltadas ao consumidor final, utilizando os grandes veículos de comunicação. Quando passou a ser necessário promover seu produto nos pontos de venda, de forma a assegurar as metas das empresas, os departamentos de marketing não estavam preparados de modo adequado e não contavam com pessoas habilitadas a desenvolver essas promoções. Ademais, essa atividade, mesmo quando bem-feita e com resultados positivos, não é valorizada pelos profissionais da área. Segundo um entrevistado, "é muito mais interessante para um profissional com formação em marketing de primeira linha desenvolver grandes campanhas de comunicação do que promoções no ponto de venda, que trazem muito menos visibilidade para a carreira e demandam muito esforço. Não vale a pena."

Para a maioria dos entrevistados, essas promoções são estruturadas de acordo com as características de cada canal de distribuição, isto é, cada canal tem uma promoção distinta ou uma mesma promoção é adaptada para cada canal no qual será efetuada, de acordo com suas características. Um exemplo é uma promoção feita por uma indústria de alimentos pesquisada, que oferecia um jogo de talheres como brinde para os consumidores que comprassem determinada quantidade de produto em um hipermercado. Essa mesma promoção foi realizada em minimercados, porém, como os consumidores que adquirem os produtos em minimercados não dispõem de recursos para compras (seja por levarem consigo menos dinheiro para uma compra de conveniência, seja porque os minimercados atendem com frequência consumidores de nível socioeconômico inferior), a promoção nesse canal oferecia um jogo de talheres mais modesto, mediante a compra de uma quantidade menor de produto. No caso de grandes redes supermercadistas que, muitas vezes, demandam promoções exclusivas – ou, ao menos, que são diferentes daquelas realizadas nas outras grandes redes –, os entrevistados destacaram que contam com um calendário promocional para cada conta-chave.

5.3. Preço

Na questão de preços – terceiro P na composição do *trade marketing mix* –, duas abordagens podem ser utilizadas pelo profissional de *trade marketing*.

A primeira é definir os preços que a indústria utilizará para comercializar seus produtos junto a cada varejista que compõe os distintos canais de distribuição atendidos pela empresa. Com exceção de um, todos os entrevistados afirmaram que as características dos canais e da dinâmica entre eles são levadas em consideração para a definição dos preços e que, em consequência, existem preços distintos para cada um dos canais de distribuição (novamente, aquele entrevistado que declarou que isso não é feito trabalha em uma empresa na qual o departamento de *trade marketing* existe há menos de um ano).

A segunda abordagem é a definição de preços ao consumidor em cada um dos canais de distribuição. Apesar de a maior parte dos produtos de bens de consumo não sofrer nenhuma restrição legal que exija que ele seja comercializado por determinado preço ao consumidor, as empresas que o fabricam têm interesse em definir por qual preço esse produto será ofertado ao *shopper* em cada um dos canais de distribuição. De acordo com a maior parte das empresas pesquisadas, para cada canal de distribuição atendido por elas, há um *target* para o preço do produto comercializado ao consumidor final; já as demais empresas vendem seus produtos aos pontos de venda e aceitam que cada um coloque o *mark-up* que julgar mais adequado.

A abordagem que delega ao varejo a decisão de estabelecer o preço do produto ao consumidor final apareceu não só nas empresas em que o *trade marketing* existe há menos tempo, mas também nas que são líderes de mercado em segmentos menos concorridos. Como disse um dos entrevistados, "O consumidor busca o meu produto, e a empresa não se opõe que alguns varejistas vendam a um preço superior ao da média do mercado. Isso é até um incentivo para ele dar ainda mais foco ao produto, pois ganha muito com suas vendas."

Entre as empresas pesquisadas que procuram gerenciar o preço ao consumidor, diversas realizaram estudos nos últimos 12 meses junto aos consumidores para definir quais os preços que eles estariam dispostos a pagar pelos seus produtos em cada um dos canais, levando em consideração diversas variáveis, entre as quais estão o posicionamento de preços da concorrência no canal e a ocasião de compra que o consumidor estará vivenciando durante a visita a determinado canal. (Por exemplo: em hipermercados, o consumidor estará fazendo uma compra abastecedora e será mais cuidadoso ao comparar preços; então, o preço deve ser mais atraente do que aquele em um minimercado, onde o consumidor estará adquirindo alguns produtos que estão faltando na sua residência para consumo no próprio dia.)

Uma vez definido o *target* de preço, as empresas utilizam diversas ferramentas – até mesmo as dos outros P's do *trade marketing mix* – para incentivar os varejistas a praticarem os preços recomendados. Entre elas, a equipe de vendas é treinada para demonstrar ao varejista que, se oferecer o produto ao preço proposto, ele venderá mais e, assim, terá mais ganho no seu negócio. Outra é que materiais promocionais com os preços *target* pré-impressos são confeccionados e, em alguns casos, o preço já vem na própria embalagem do produto (essa é uma medida muito polêmica que, segundo alguns entrevistados que a utilizaram e depois abandonaram, foi questionada juridicamente por varejistas e organizações de defesa ao consumidor). Algumas empresas também oferecem descontos nos seus produtos para os varejistas que praticam os preços sugeridos; outras, que têm programas de fidelidade aos varejistas, fornecem pontos no programa pelo respeito aos preços.

Os exemplos citados demonstram que há um esforço realizado com a utilização de diversas ferramentas para gerenciar o preço ao consumidor, o que mostra não só sua importância para aumentar a competitividade das empresas de bens de consumo, como também a dificuldade em obter a concordância do varejista em relação a essa questão. Como um entrevistado declarou, "Nem sempre os objetivos dos nossos clientes são os mesmos que os nossos. Mesmo que ele venda mais dos nossos produtos ao preço sugerido, com o preço que pratica, ele tem maior rentabilidade no seu negócio".

5.4. Produto

O último P, que corresponde aos produtos (e às marcas) comercializados pela empresa, é aquele em que as atribuições são mais centralizadas no departamento de marketing. Essa atribuição, desde o princípio, foi considerada uma das atividades mais relevantes que um profissional de marketing deve desenvolver – nas palavras de um entrevistado, "O desenvolvimento de produtos é o coração da área de marketing".

Se, por um lado, a primazia do profissional de marketing na administração dos produtos da empresa faz os produtos serem desenvolvidos de forma a atender às preferências dos consumidores, por outro, faz com que nem sempre as características dos canais de distribuição e as diferentes ocasiões de compra atendidas por cada canal sejam levadas em consideração – o que pode ser verificado pelas respostas dadas pelos entrevistados. Enquanto, para uma quantidade importante das empresas, as características dos canais são sempre levadas em consideração para o desenvolvimento de produtos, uma pequena parte dos entrevistados afirmou que apenas às vezes essas características são levadas em consideração, e apenas um deles afirmou que elas não são consideradas nunca.

5.5. Indicadores

Finalmente, após a elaboração das estratégias de *trade marketing* que serão empregadas, é necessário estabelecer indicadores de desempenho para a execução do plano de forma a ser possível mensurar sua efetividade. O primeiro deles é a análise de vendas, que compara o resultado real de vendas com o estimado. Essa mensuração pode ser feita por intermédio do volume ou da receita de vendas, os quais não necessariamente apontarão resultados iguais, visto que é possível vender determinado volume de produto com um percentual de descontos variável, que pode ser traduzido em maiores ou menores receitas para a empresa. Os executivos entrevistados destacam a importância do volume de vendas para avaliar os planos de *trade marketing*, dado que essa variável é a mais utilizada nas empresas pesquisadas. Já a receita de vendas é mensurada em um percentual menor do que o volume.

Outro grupo de indicadores de um plano de marketing é a análise de participação de mercado, pois, por meio desses indicadores, é possível avaliar se os planos de marketing ou *trade marketing* contribuem para a empresa capturar vendas da concorrência. O *share* ou participação de volume é um indicador dos planos de *trade marketing* para um número maior dos entrevistados do que o *share* de receita.

Indicadores relevantes também são aqueles que compõem a análise financeira, pois demonstram se as ações efetuadas e que compõem o plano de *trade marketing* estão melhorando ou não a rentabilidade do negócio. É importante mensurar a rentabilidade dos canais de distribuição atendidos pelas empresas de forma a também permitir o maior foco nas ações naqueles canais que proporcionam melhor retorno à empresa, e isso é feito em muitas das empresas entrevistadas. Já as contas-chave, que são principalmente as grandes redes de hipermercados e supermercados atendidas pela indústria, também requerem que seja feita uma mensuração dos resultados em cada uma, em função da sua elevada participação nas vendas de bens de consumo e também por serem o canal no qual os lucros das indústrias de bens de consumo mais caíram em função das mudanças ocorridas no varejo, como foi visto anteriormente. Esse indicador é utilizado para avaliar os planos de *trade marketing* para mais da metade dos entrevistados.

Um ponto relevante para avaliar a efetividade do plano de *trade marketing* é mensurar a eficiência na distribuição, pois um plano pode ter como meta ampliar a distribuição dos produtos em um ou mais canais de distribuição, além do fato de que, para serem efetivas, as demais atividades que compõem o *trade marketing mix* necessitam que o produto esteja distribuído nos pontos de venda do canal de distribuição ao qual se destina o plano. Os entrevistados utilizam como indicador do plano de *trade marketing* a distribuição numérica (quantidade de clientes que comercializam o produto dentro do universo de clientes que compõem o canal de distribuição) e também mensuram a distribuição ponderada (que considera quanto os clientes que comercializam os produtos da empresa representam no total de vendas daquela categoria de produto dentro do canal de distribuição).

Outro fator relevante para a efetividade do plano de *trade marketing* implica acompanhar não apenas se o produto está presente ou não no ponto de venda, mas com que qualidade ele está presente, o que pode ser feito por intermédio da mensuração do espaço e da localização da exposição dos produtos ao consumidor final dentro dos clientes que compõem os canais de distribuição.

Para avaliar se as estratégias de preço do *trade marketing mix* estão sendo efetivas, é necessário acompanhar os preços praticados ao consumidor pelos clientes de determinado canal de distribuição. Essa monitoria é efetuada na maioria das empresas entrevistadas.

Todo o *trade marketing mix* aplicado junto aos varejistas atendidos pela empresa gerará um grau de satisfação maior ou menor, de acordo com o plano que lhes é oferecido pela indústria. Uma avaliação do nível de satisfação dos varejistas é efetuada em apenas uma pequena parte das empresas pesquisadas – o que aponta que, se os P's que compõem o *trade marketing mix* são mensurados separadamente, a avaliação global do plano de *trade marketing* não é realizada na mesma intensidade.

6. RESULTADOS – ESTRUTURAS DE *TRADE MARKETING*

A pesquisa apontou que, hoje, o departamento de *trade marketing* está presente nas indústrias de bens de consumo brasileiras, visto que todos os entrevistados declararam que existe um departamento de *trade marketing* nas empresas em que trabalham. Apesar disso, o estágio em que cada departamento se encontra é muito diferente.

Existem aquelas empresas – em especial, as multinacionais – que já passaram em outros mercados por mudanças semelhantes àquelas que hoje ocorrem no varejo brasileiro e que dispõem de uma estrutura de *trade marketing* há mais tempo, entre cinco e dez anos. Já as empresas nacionais (e algumas multinacionais) constituíram seus departamentos entre um e cinco anos atrás. Por um lado, evidencia-se a Unilever, com atuação destacada na Inglaterra e na Holanda, sendo a única empresa pesquisada que conta com uma equipe de *trade marketing* há mais de dez anos – provavelmente porque sua sede se encontra na Europa, onde, conforme foi visto anteriormente, surgiram os primeiros departamentos de *trade marketing*. Por outro lado, uma pequena parte das empresas que foram objeto desta pesquisa constituiu suas estruturas de *trade marketing* há menos de um ano.

Conforme será possível observar a seguir, essa diferença de período de implementação faz os departamentos de *trade marketing* das empresas estudadas se encontrarem em diferentes níveis de maturidade. Muitas ferramentas e muitos métodos de trabalho presentes nas empresas que criaram esse departamento há mais tempo ainda não existem naquelas nas quais o departamento de *trade marketing* foi constituído há pouco tempo. Mesmo assim, os entrevistados dessas empresas que estão iniciando o trabalho de *trade marketing* fizeram questão de ressaltar, em diversas situações nas entrevistas, que sua empresa "ainda" não tinha determinada ferramenta ou "ainda" não fazia determinado trabalho associado a *trade marketing*, mas que, em breve, isso mudaria.

6.1. Formatos

Ao analisar as estruturas de *trade marketing* das empresas observadas, foi possível encontrar uma variedade de possibilidades, ao contrário do que ocorre com os departamentos de marketing, que têm a figura do gerente de produto presente em todas as empresas da amostra. Pode-se notar essa variabilidade na própria alocação do departamento de *trade marketing*: enquanto a maior parte das empresas posiciona o departamento dentro da estrutura de vendas, em algumas o departamento está dentro da estrutura de marketing, e há também aquelas (justamente aquelas em que o departamento de *trade marketing* existe há mais tempo) nas quais existe uma diretoria de *trade marketing* independente e em que a estrutura tem mais força e autonomia para desenvolver seu trabalho, tendo o seu conceito já consolidado dentro da organização.

O principal executivo responsável pelos planos de *trade marketing* dentro das empresas pode ocupar diferentes cargos, de acordo com o foco e a maturidade da estrutura de *trade marketing*. Para a maioria dos entrevistados, o cargo de gerente de *trade marketing* é o principal posto dessa estrutura. Em uma pequena parte dos casos, a principal posição é ocupada por um diretor (em uma das empresas, o diretor de *trade marketing* responde ao diretor de vendas), o que fornece maior autonomia e capacidade de negociação para o departamento.

Nas empresas em que o departamento de *trade marketing* existe há menos tempo, encontram-se também um coordenador ou um analista responsável pelo departamento. Nesses casos, a ideia é colocar alguém com experiência em marketing ou vendas para iniciar o trabalho e, com o tempo, reforçar a estrutura. Como disse um dos entrevistados: "Selecionamos um ótimo coordenador de vendas, com boa formação acadêmica, para começar a desenvolver a área de *trade marketing*. Se tudo der certo, no próximo ano aumentaremos a estrutura".

Apesar de esse raciocínio ter coerência, há um risco em iniciar um departamento de *trade marketing* sem uma pessoa com experiência na função e sem os recursos e a estrutura necessários para desenvolver um trabalho de acordo com as necessidades e expectativas da empresa. Muitos entrevistados lembraram que foram necessárias diversas tentativas até o departamento de *trade marketing* conseguir produzir resultados significativos. Nesse processo, houve muito desgaste entre as pessoas envolvidas na tarefa, pela falta de conhecimento sobre como deve funcionar um departamento de *trade marketing*. Isso muitas vezes terminou com a eventual saída dos executivos responsáveis por *trade marketing* e sua substituição por outras pessoas que não estavam preparadas para a função, mas que tinham mais apoio e recursos por parte da organização e, por isso, conseguiram deslanchar o departamento.

Em algumas empresas, esse processo de concepção do departamento de *trade marketing* desgastou a própria denominação de *trade marketing*, que foi substituída por outra que não tivesse rejeição por parte dos demais departamentos da empresa – em especial, marketing e vendas, que têm as interfaces com *trade marketing* e que sofreram os maiores desgastes com as dificuldades na implementação do conceito. Apesar de o departamento continuar tendo essencialmente as responsabilidades de *trade marketing*, foram encontrados departamentos com diferentes nomes, como *channel marketing*, *customer marketing*, desenvolvimento de canais, desenvolvimento de mercado, marketing operacional, entre outros.

O tamanho da estrutura de *trade marketing* de que a empresa dispõe varia de acordo com o seu próprio tamanho e conforme a maturidade desse departamento dentro da organização. Perto de metade dos entrevistados declarou que o departamento tem até dez funcionários; uma pequena parte declarou que o *trade marketing* tem entre 11 e 20; e o restante declarou que há mais de 20 pessoas trabalhando com *trade marketing* dentro da indústria em que são empregados.

Uma vez definido para quem o departamento de *trade marketing* responde, qual é a força do seu principal executivo (determinada pelo cargo que ocupa, para efeito desse trabalho) e qual o tamanho da estrutura de que a empresa necessita, é necessário conhecer qual o vulto do orçamento disponível para desenvolver os trabalhos de *trade marketing*.

A participação do orçamento de *trade marketing* dentro do orçamento total de marketing foi uma informação que apenas uma parte dos entrevistados forneceu; os demais declararam ser essa uma informação confidencial.

É possível observar, mais uma vez, a força do departamento de *trade marketing*, pois os entrevistados gerenciam em média 43% do orçamento total de marketing para desenvolver os planos de *trade marketing*, enquanto 57% do orçamento total de marketing é alocado para os executivos desenvolverem planos voltados ao consumidor final do produto.

De acordo com os entrevistados, a participação do orçamento de *trade marketing* dentro do orçamento total tem crescido ano após ano, desde a implementação desse departamento. Há riscos envolvidos nessa decisão, como a perda de relevância das marcas fabricadas pelas indústrias para o consumidor e a falta de recursos para promover o desenvolvimento e o lançamento de novos produtos; porém, a pressão que as indústrias estão sofrendo pelas mudanças ocorridas no varejo alimentício e os bons resultados que os departamentos de *trade marketing* proporcionam para enfrentar essa situação indicam, segundo os entrevistados, que essa participação no orçamento tende a continuar crescendo.

A segmentação da equipe de *trade marketing* também pode ser feita de diversas maneiras, de acordo com as necessidades da empresa (isso também demonstra a não existência em *trade marketing* de uma estrutura e segmentação reconhecidas por todo o mercado como as mais eficientes). A maioria dos entrevistados declarou que o departamento de *trade marketing* é dividido por canais, tendo uma equipe para desenvolver os negócios em cada um dos canais de distribuição em que a empresa atua; uma parte pequena dos entrevistados disse que o departamento é segmentado por área geográfica, tendo uma equipe responsável por desenvolver os planos para todos os canais em cada região. Em algumas das empresas, há uma equipe que atende a cada uma das contas-chave, que são principalmente as grandes redes supermercadistas e, também, dependendo da empresa, os atacadistas e os distribuidores. Outros entrevistados declararam que, para cada marca da empresa, há uma equipe responsável por desenvolver os planos por canal de distribuição (essa situação acontece, principalmente, naquelas empresas em que o departamento de *trade marketing* está inserido na estrutura de marketing).

Uma das empresas entrevistadas, em que o *trade marketing* surgiu há menos de um ano, declarou que a estrutura é dividida por atividades e que existe uma pessoa responsável por desenvolver materiais promocionais, outra por elaborar a arquitetura de preços, e assim por diante. Nesse caso, a estratégia dos canais é relegada a um segundo plano, visto que não há um responsável por integrar as atividades do *trade marketing mix*.

Vale ressaltar que nenhum dos possíveis modelos invalida o outro e que, em todos os negócios, há a oportunidade de desenvolver os canais de distribuição, contas-chave, áreas geográficas e marcas da empresa. Em um quarto das empresas pesquisadas, nas quais o *trade marketing* existe há mais tempo, a estrutura está dividida em mais de uma das formas descritas anteriormente.

6.2. Funções

Em seguida, foram investigadas as principais funções que o departamento de *trade marketing* desenvolve dentro das organizações. Os entrevistados declararam que esse departamento é responsável por realizar a comunicação entre os departamentos de marketing e vendas, informando a equipe de vendas sobre os planos de marketing e levando ao departamento de marketing as oportunidades existentes nos canais de distribuição, os movimentos feitos pela concorrência e qualquer outro fator relevante. Essa responsabilidade aumenta a eficiência da comunicação, como disse um dos entrevistados, que trabalha na área de vendas: "Ao invés de todas as semanas me ligarem cinco gerentes de produto, eu informo ao gerente de *trade marketing* o que está acontecendo, e ele não só informa o departamento de marketing, como também tem a responsabilidade de viabilizar um plano de ação."

As empresas pesquisadas destacaram que o *trade marketing* deve detectar oportunidades de negócios em cada canal de distribuição atendido pela empresa. Isso é efetuado não só mediante a comunicação com a equipe de vendas, como também em reuniões com clientes e em pesquisas de mercado que avaliam a evolução dos negócios em cada canal, bem como o comportamento do consumidor (*shopper*) nas diferentes ocasiões de compra dos produtos da empresa.

Uma vez detectadas as oportunidades de negócios, cabe ao departamento de *trade marketing* elaborar campanhas por canal de distribuição. A elaboração da campanha pressupõe o gerenciamento de todo o *trade marketing mix*, e o gestor da área deve estar preparado para utilizar as ferramentas de produto, preço, promoção e propaganda de acordo com o cenário apresentado na empresa.

Como as contas-chave são muito relevantes para os negócios dos fabricantes de bens de consumo, elas merecem atenção especial, e os entrevistados afirmaram que o departamento de *trade marketing* deve elaborar planos de negócios para cada uma dessas contas e apresentá-los junto com a equipe de vendas responsável pelas vendas ao cliente.

O investimento em cada canal de distribuição e em cada conta-chave deve ser feito tendo em vista a importância de cada um deles para o negócio da empresa e também avaliando as principais oportunidades. Por exemplo, uma empresa que busca reduzir sua dependência das contas-chave deve investir ao longo do tempo um percentual maior do seu faturamento para outros canais, como bares e padarias. É necessário ainda evitar que sejam realizadas campanhas conflitantes entre os diferentes canais, como uma campanha de preços de determinado produto para consumidores que se abastecem em hipermercados em conjunto com uma campanha de preços do mesmo produto em supermercados. Se o preço num canal for muito inferior ao preço no outro, poderia ocorrer uma indesejável migração do comprador de um para o outro. Para os entrevistados, essa coordenação dos investimentos e dos calendários promocionais entre os canais de distribuição é uma função do departamento de *trade marketing*.

Os pesquisados afirmaram que cabe também ao departamento de *trade marketing* coordenar a implementação dos planos de marketing por canal de distribuição, o que implica comunicar as campanhas de marketing e o lançamento de novos produtos para a equipe de vendas e para os clientes, e informar como devem ser executadas em cada ponto de venda atendido pela empresa – quais materiais promocionais devem ser colocados em cada canal de distribuição, quais promoções associar à campanha para assegurar o máximo de sua efetividade, e assim por diante. Além disso, enquanto o departamento de marketing avalia o impacto dos planos de marketing e lançamento de produtos junto ao consumidor final, cabe ao *trade marketing* efetuar essa avaliação junto aos canais de distribuição e aos *shoppers*, propondo melhorias, se forem necessárias.

Segundo os pesquisados, a avaliação dos resultados dos canais de distribuição, dos planos de marketing e *trade marketing* em cada um dos canais e contas-chave atendidos pela empresa, realizada por intermédio do estabelecimento e do acompanhamento dos indicadores de desempenho, é função do departamento de *trade marketing*.

Os entrevistados declararam que cabe à equipe de *trade marketing* desenvolver novas ferramentas de gestão junto aos clientes, a fim de que as vendas e a rentabilidade das indústrias e dos varejistas aumentem. Entre essas ferramentas, foram citados o gerenciamento por categorias, as reuniões periódicas para acompanhamento dos negócios entre as empresas, o cartão de metas conjunto, com objetivos comuns entre indústrias e varejistas, e a mensuração da execução dos produtos e as promoções nos pontos de venda do canal de distribuição ou nas lojas das contas-chave.

Para uma parte importante dos entrevistados, o departamento de *trade marketing* tem como função estabelecer os papéis de cada canal de distribuição nos negócios da companhia, sendo que, em algumas das empresas pesquisadas, o *trade marketing* estabelece os canais-foco de atuação. Como disse um entrevistado que atua em *trade marketing*:

> "A empresa já vendia seus produtos antes da existência do departamento de *trade marketing*. O diretor de vendas era e é o responsável por atingir os resultados, e sempre lhe coube definir para quem deveríamos vender os produtos. Com o tempo e a habilidade política, o *trade marketing* vem sendo envolvido nessa definição estratégica."

Já algumas empresas declararam que o desenvolvimento de uma política de preços entre os canais de distribuição é uma função do departamento de *trade marketing*, e apenas dois entrevistados afirmaram que cabe ao *trade marketing* desenvolver produtos para cada canal de distribuição.

6.3. Perfil do profissional

Os entrevistados descreveram o perfil do profissional de *trade marketing* em suas empresas. Segundo a maioria deles, o executivo deve ter, pelo menos, o ensino superior completo, sendo que, para muitos, também é necessário que ele tenha pós-graduação completa em uma área afim (como marketing) e um diploma de MBA (Master in Business Administration). Além da experiência acadêmica, foi verificado se é relevante para esses profissionais que tenham experiência em outros departamentos da empresa. Para todos os entrevistados, é relevante que os executivos de *trade marketing* trabalhem previamente no departamento de vendas. Os entrevistados afirmaram ser necessário que esses executivos tenham também experiência na área de marketing.

A principal habilidade para o profissional de *trade marketing*, segundo os entrevistados, é o foco nos canais de distribuição e nos *shoppers*. Compreender a dinâmica dos canais de distribuição, as ameaças e as oportunidades que cada canal apresenta e como se comporta o *shopper* durante as diferentes ocasiões de compra são os fundamentos para o trabalho do departamento de *trade marketing*, de acordo com a amostra pesquisada.

Em seguida, uma habilidade considerada muito relevante é a capacidade de planejamento, o que significa saber trabalhar todas as informações levantadas e elaborar um plano de *trade marketing* que contemple todo o *trade marketing mix* de forma a capturar as oportunidades que o novo cenário, formado a partir das transformações ocorridas no varejo alimentício, oferece às empresas de bens de consumo.

Como o *trade marketing* é uma área nova e que deve interagir intensamente com marketing e vendas, as duas habilidades que vêm a seguir abordam essa dinâmica: trabalho em equipe e capacidade de coordenação entre as áreas, que receberam a nota média, sendo por isso destacadas. Um dos entrevistados apresentou a questão da seguinte maneira: "Se o *trade marketing* não for capaz de negociar os recursos com o marketing e vender a importância dos planos de *trade marketing* para a força de vendas, o departamento está condenado a ocupar uma posição secundária na organização".

Outra habilidade gerencial relevante para o executivo que trabalha em *trade marketing* é a liderança, pois as empresas de bens de consumo já existiam antes das mudanças ocorridas no varejo e do surgimento da área de *trade marketing*. Os profissionais de *trade marketing* devem ser capazes de explicar para os diferentes departamentos da organização qual é o novo cenário de negócios, o impacto dessa nova realidade na organização e a relevância de alocar recursos e revisar processos de trabalho de forma a atender de modo diferente aos canais de distribuição da empresa.

7. CONCLUSÕES

Assim como se constata em mercados mais maduros, o departamento de *trade marketing* no Brasil surgiu como uma das respostas às mudanças ocorridas no varejo. Cada um dos P's do composto de marketing (produto, preço, promoção e ponto de venda) é trabalhado olhando não só o consumidor (atribuição do departamento de marketing), como também o varejista, sendo que, ao levá-lo em consideração, a empresa desenvolve o composto de *trade marketing* ou *trade marketing mix*, que adéqua as estratégias das empresas à realidade de cada canal de distribuição.

O estudo permitiu verificar que não há uma única estrutura possível para o departamento de *trade marketing* e que seu tamanho e sua abrangência de atuação variam de acordo com a maturidade do departamento, o tamanho da indústria e o foco que a diretoria decide dedicar ao tema. O profissional do *trade marketing* – que deve ter não somente uma sólida formação acadêmica, como também experiência em marketing e vendas – enfrenta uma série de dificuldades no relacionamento com as áreas de marketing e vendas, em função da resistência à perda de poder que isso acarreta, além da alteração dos processos que deve ser efetuada na implementação do *trade marketing*.

Espera-se que os resultados apresentados contribuam para que estudiosos sobre o *trade marketing* possam entender quais as motivações para a implementação desse departamento no Brasil e de que forma isso ocorreu. Para os profissionais que atuam na área e estão interessados em constituir ou incrementar suas áreas de *trade marketing*, o artigo sugere alternativas para que isso seja realizado. Todavia, por se tratar de um estudo qualitativo que analisa uma área específica dos negócios – os bens de consumo não duráveis –, é necessário atenção para que as conclusões apresentadas não sejam extrapoladas sem critério e considerando-se essa ressalva.

Este estudo pode ser complementado por outros que verifiquem não apenas a aplicação dos conceitos de *trade marketing* e quais as estruturas existentes em um universo maior de fabricantes de bens de consumo não duráveis, mas também os resultados obtidos pelos planos de *trade marketing*. Além disso, com o objetivo de expandir práticas de sucesso de um segmento para outro, é interessante compreender como os diferentes segmentos varejistas vêm se modificando ao longo do tempo, se as indústrias que os abastecem adotaram o *trade marketing* para trabalhar no novo cenário e de que forma. Sob uma perspectiva dos varejistas, seria válido compreender qual a percepção deles sobre o *trade marketing* desenvolvido pelos seus fornecedores e qual o impacto que oferece ao seu negócio.

REFERÊNCIAS

ALMEIDA, V. M. C. de; PENNA, L. S.; SILVA, G. F. da; FREITAS, F. D. Trade marketing no setor de lojas de conveniência. **RAE: Revista de Administração de Empresas**, v. 52, n. 6, p. 643-656, 2012. Recuperado de: <http://dx.doi.org/10.1590/S0034-75902012000600006>.

COOPER, D. R.; SCHINDLER, P. S. **Métodos de pesquisa em Administração**. São Paulo: Bookman, 2016.

CORSTJENS, J.; CORSTJENS, M. **Store wars**: the battle for mindspace and shelfspace. Chichester: John Wiley & Sons, 1994.

CRESWELL, J. **Investigação qualitativa e projeto de pesquisa**. Porto Alegre: Artmed, 2013.

GRÖNROOS, C. Defining marketing: a market-oriented approach. **European Journal of Marketing**, v. 23, n. 1, p. 52-60, 1989.

KUMAR, N. **Marketing como estratégia**. São Paulo: Campus, 2004.

MARCONI, M. de A.; LAKATOS, E. M. **Fundamentos de metodologia científica**. São Paulo: Atlas, 2005.

MATTAR, F. N. **Pesquisa de marketing**. Edição compacta. São Paulo: Atlas, 1996.

MORICCI, R. **Marketing no Brasil**. São Paulo: Campus, 2013.

MOTTA, R. G.; CORÁ, M. A. J. Uma crítica ao discurso da gestão da qualidade total a partir do pensamento de Maurício Tragtenberg. *In*: ENANPAD, 41., 2017, São Paulo. **Anais** [...] São Paulo: Fundação Getulio Vargas, 2017.

MOTTA, R. G.; SANTOS, N. M. B. F.; SERRALVO, F. *Trade marketing*: teoria e prática para gerenciar os canais de distribuição. Rio de Janeiro: Campus, 2008.

MOTTA, R. G.; SILVA, A. V. da. Aumento da competição no varejo e seu impacto na indústria. **Revistas Gerenciais**, São Paulo, v. 5, n. 2, p. 101-108, 2006.

MOTTA, R. G.; TURRA, F. J.; MOTTA, A. G. *Trade marketing*: uma análise a partir da "Estrutura das revoluções científicas". **Revista SODEBRAS**, Guaratinguetá, v. 12, n. 133, p. 76-82, 2017.

PARENTE, J.; BARKI, E. **Varejo no Brasil**: gestão e estratégia. São Paulo: Atlas, 2014.

PORTER, M. **Vantagem competitiva**. São Paulo: Campus, 1989.

RANDALL, G. **Trade marketing strategies**. Londres: BH, 1994.

ROSENBLOOM, B. **Canais de marketing**: uma visão gerencial. São Paulo: Atlas, 2002.

SETH, A.; RANDALL, G. **Supermarket wars**: global strategies for food retailers. Basingstoke: Palgrave Macmillan, 2005.

SILVA NETO, N. B.; MACEDO-SOARES, D. V. A.; PITASSI, C. Adequação estratégica das áreas de *trade marketing* das empresas de bens de consumo atuando no Brasil. **ADM.MADE**, Rio de Janeiro, v. 15, n. 1, p. 1-22, 2011.

YIN, R. K. **Pesquisa qualitativa do início ao fim**. Porto Alegre: Penso, 2016.

CAPÍTULO 2

ESTUDO DE CASO COM AS MOTIVAÇÕES, O MÉTODO DE IMPLEMENTAÇÃO E O IMPACTO DO PROGRAMA DE GESTÃO DA QUALIDADE TOTAL EM VENDAS EM UMA INDÚSTRIA BRASILEIRA DE BENS DE CONSUMO NÃO DURÁVEIS[5]

Rodrigo Guimarães Motta
Leandro Pereira de Lacerda
Neusa Maria Bastos Fernandes dos Santos

RESUMO

Este é um estudo de caso no qual os autores analisaram as motivações, o método de implementação e os impactos causados por um programa da gestão da qualidade total em vendas em uma indústria brasileira de bens de consumo não duráveis. Tratou-se de um programa de qualidade independente, não vinculado a um programa que abrangesse toda a empresa, e cujo objetivo consistia

---

5. Originalmente publicado na **Revista Gestão e Planejamento**, Salvador, v. 19, p. 208-226, jan./dez. 2018.

em melhorar e padronizar o desempenho da equipe de vendas e *merchandising*. Os autores tiveram acesso aos resultados de vendas da empresa após a implementação do programa, assim como entrevistaram os participantes para avaliar sua percepção sobre ele. Neste estudo de caso, o programa demonstrou que contribuiu para o desempenho da organização.

Palavras-chave: Bens de consumo. Gestão da qualidade total. Vendas.

1. INTRODUÇÃO

Em anos recentes, desafios de ordem econômica, comuns a todos os setores econômicos no Brasil (BOLLE, 2016; SALTO; ALMEIDA, 2016; BACHA, 2017), somaram-se no setor de bens de consumo não duráveis à necessidade de este mesmo setor se comunicar de novas maneiras a fim de que seu produto seja desejado pelos consumidores, levando em consideração os novos perfis dos consumidores e as mídias que com eles se conectam (MOTTA, 2016; CALLIARI; MOTTA, 2012; GODOI; LAS CASAS; MOTTA, 2015; PULIZZI, 2014). Além disso, aconteceram mudanças significativas com os varejistas que comercializam esses produtos, tais como a globalização e a consolidação das redes supermercadistas, bem como o surgimento de marcas próprias (MOTTA; SILVA, 2006; PARENTE; BARKI, 2014).

Até há pouco tempo, fabricantes desse segmento empreenderam uma série de modificações nos seus departamentos comerciais para conseguir atuar de forma mais eficiente no novo cenário. O departamento de *trade marketing*, em particular, contribuiu com a elaboração de planos estruturados para desenvolver os negócios com os canais de distribuição (MOTTA; SANTOS; SERRALVO, 2008; ALVAREZ,

2008; MOTTA; TURRA; MOTTA, 2017). Essa iniciativa fez parte de um esforço combinado com outras medidas, como a constituição de times multifuncionais para gerenciar contas-chave (KUMAR, 2004) e de equipes de administração de vendas dedicadas a melhorar o nível do serviço oferecido aos varejistas (MOTTA; SANTOS; SERRALVO, 2008; MORICCI, 2013). Muitas dessas empresas não implementaram programas de gestão da qualidade total (GQT) integrais nas organizações, mas, mesmo assim, desenvolveram e implementaram programas dedicados à área de vendas, com o objetivo de ter uma equipe de vendas mais eficiente e, dessa forma, aumentar sua receita e rentabilidade mediante a conquista de novos clientes e do aumento das vendas entre aqueles já existentes.

Na literatura disponível, há um extenso embasamento teórico para a utilização da GQT nas organizações, desde a sua concepção, na década de 1930, até os dias atuais. Há, inclusive, material nacional sobre o tema, desenvolvido tanto pelo governo federal quanto por empresas privadas e organizações da sociedade civil, tais como a Fundação Nacional da Qualidade (FNQ). Todavia, observa-se que esse material trata ou da implementação da GQT em toda a organização ou, mais especificamente, da sua implementação na área de produção (FERNANDES, 2011). Quanto aos programas de GQT independentes e desenvolvidos exclusivamente para vendas, estando ou não subordinados a um programa mais abrangente, não foi encontrado material disponível.

O problema a ser investigado neste trabalho consiste em compreender qual a contribuição do programa da GQT em vendas para o desempenho das vendas de uma indústria de bens de consumo não duráveis e como implementá-lo. O objetivo deste estudo de caso, então, é contribuir para os estudos de vendas e também de GQT, demonstrando quais são as motivações, como é estruturado e quais são os resultados de um programa de GQT em vendas desenvolvido em uma empresa nacional de bens de consumo não duráveis. Dessa maneira, espera-se que tais programas sejam estudados de forma mais estruturada e que esses estudos contribuam para a competitividade das indústrias que os aplicam.

Este artigo se inicia com a fundamentação teórica, após o que é apresentada a metodologia utilizada, seguida dos resultados do programa de GQT estudado e das conclusões e recomendações de outros estudos.

2. FUNDAMENTAÇÃO TEÓRICA

2.1. Três desafios dos departamentos de vendas de bens de consumo

Mudanças recentes no mercado de bens de consumo nacional motivaram as indústrias que fazem parte desse setor a implementar – quer como parte de um programa mais amplo de gestão da qualidade total, quer não – um programa de qualidade dedicado à área de vendas (CORREA, 2017). Três desafios podem ser destacados e são comuns a essas indústrias.

O primeiro desafio é de ordem econômica. O início do século XXI apresentou crises econômicas nos países mais desenvolvidos e também nos países em desenvolvimento. A crise americana na primeira década do século causou impactos não só no seu país de origem, mas em uma escala global. E, nos anos recentes, no Brasil, problemas econômicos (BACHA, 2017; SALTO; ALMEIDA, 2016) combinados com instabilidade política (BOLLE, 2016) têm levado o país a enfrentar anos de recessão, com aumento do desemprego, menos investimentos e retração do consumo.

O segundo desafio enfrentado se relaciona com os consumidores. Nessas décadas, ao mesmo tempo que a economia enfrenta a turbulência descrita acima, os consumidores das novas gerações – sejam aqueles nascidos nas décadas de 1980 ou 1990, conhecidos como "geração Y" ou *millenials*, sejam aqueles nascidos no início do século XXI, conhecidos como "geração X" – passam a receber especial atenção das indústrias, interessadas em expandir suas bases de consumidores. Só que, analisando-se os novos consumidores, o que se percebe é que eles não se satisfazem com as formas convencionais de divulgação dos produtos, conforme foi apontado por Calliari e Motta (2012). Novas ferramentas, como as mídias sociais, são mais atraentes e envolventes, podendo oferecer um resultado de maior impacto.

De acordo com Godoi, Las Casas e Motta (2015), melhores resultados para construir relacionamento com o consumidor podem ser obtidos mais pelo Facebook, por exemplo, do que por meio das mídias convencionais, tais como a televisão, o rádio e a propaganda de rua. Pulizzi (2014) ainda defende que não basta identificar essas novas ferramentas: é necessário construir competências para se comunicar com os novos consumidores por meio delas, como o *storytelling*. Esse conjunto de competências de estratégia e marketing está sendo formado pelas empresas, as quais nem sempre já têm a experiência e o domínio necessários nesse quesito, inclusive pelo próprio fato de se tratar de uma novidade na área (MOTTA, 2016).

O último desafio enfrentado pelas indústrias é de ordem competitiva. O aumento da competitividade em segmentos empresariais – tema extensamente abordado por autores como Porter (1985) – continua a se acirrar nas duas últimas décadas – como exemplificado por Motta e Silva (2006) e Kumar (2004) –, e nada indica que será reduzido nos próximos anos. Segundo esses autores, as indústrias de bens de consumo não duráveis enfrentam não só mais concorrentes globais com capacidade de investimento e economia de escala que lhes permitem oferecer produtos de qualidade a preços acessíveis, como também concorrentes locais que conhecem o gosto e a preferência do consumidor brasileiro e, às vezes, do consumidor de um estado ou de uma região. Soma-se a isso o aumento da complexidade dos canais de distribuição, impulsionado pela globalização das grandes redes varejistas que consolidaram rapidamente o setor – no Brasil, inclusive –, o que propiciou maior poder de barganha aos clientes, que passaram a exigir melhores condições comerciais das indústrias fornecedoras. Autores descreveram respostas a essas mudanças que foram feitas nas estruturas das empresas: a constituição de departamentos de *trade marketing* (MOTTA; SANTOS; SERRALVO, 2008; ALVAREZ, 2008; MOTTA; TURRA; MOTTA, 2017; ALMEIDA et al., 2012; SILVA NETO; MACEDO-SOARES; PITASSI, 2011), além da constituição de equipes dedicadas e de caráter multifuncional para atender de forma mais eficiente os grandes varejistas (KUMAR, 2004) e de equipes internas de administração de vendas para melhorar o nível de serviço oferecido (MORICCI, 2013; MOTTA; SANTOS; SERRALVO, 2008). Outra medida adotada foi o desenvolvimento e a implementação de programas de GQT dedicados às equipes de vendas das empresas, para melhorar o atendimento e o serviço conjuntamente ao resultado das empresas (MOTTA; CORÁ, 2017).

A seguir, serão apresentados os principais conceitos de GQT utilizados para a elaboração desses programas.

2.2. A gestão da qualidade total

A Segunda Revolução Industrial ampliou a capacidade industrial de muitos países, com destaque para os Estados Unidos e os países da Europa. A alocação de recursos e o desenvolvimento de novas teorias, como a administração científica de Taylor, foram os fatores impulsionadores de tal expansão, que também encontrou milhões de consumidores nesses países e em outros que importavam produtos, dispostos a adquirir os produtos industrializados. Nas décadas seguintes, as indústrias passaram a ser desafiadas a entregar produtos com qualidade superior e padronizada, de forma a atender às expectativas do consumidor, sempre que seus produtos fossem adquiridos (MOTTA; CORÁ, 2017). O primeiro a desenvolver uma metodologia de controle da qualidade embasada em análises quantitativas foi Shewhart (1931), nos Estados Unidos, cujos estudos – realizados tanto por ele quanto pelos que estudaram com ele, como Deming (1982) e Juran (1980) – promoveram o controle da qualidade no país.

Enquanto a administração científica e seus estudos de tempos e movimentos buscavam o tempo máximo dos operários, o controle da qualidade total (CQT) enfocava os tempos considerados ótimos, em que as metas de produção eram cumpridas e os produtos saíam das linhas de produção atendendo aos padrões preestabelecidos com o mínimo de desperdício possível. Para que isso acontecesse, os processos produtivos eram analisados, parâmetros ótimos eram determinados e, em seguida, manuais eram escritos expondo os detalhes, a fim de que os trabalhadores dos diferentes turnos de produção e estabelecimentos fabris pudessem aplicar o que foi definido. O acompanhamento da obtenção dos padrões instituídos era feito com a utilização de ferramentas estatísticas, por meio das quais o atingimento das metas produtivas e a redução das perdas podiam ser observados.

Com a vitória dos Estados Unidos na Segunda Guerra Mundial, o país passou a exportar as melhores práticas de gestão administrativa, sendo que uma delas foi a qualidade total. Os japoneses reconheceram a utilidade da proposta quanto ao aumento da receita, da rentabilidade e da eficiência da empresa, e adotaram o modelo nas suas organizações.

Ainda que o conceito de GQT – em que a qualidade total deixa de ser uma ferramenta de controle das linhas produtivas e passa a ser uma ferramenta de gestão com a qual a burocracia busca a máxima eficiência em todos os departamentos, como o financeiro, o logístico e o de vendas – já tivesse sido considerado nos Estados Unidos, foi no Japão, a partir dos seus estudiosos do tema, como Ishikawa (1985), que a GQT viria a se consolidar e a assumir sua função de contribuir com o aumento de eficiência e de produtividade das organizações.

Segundo Besterfield *et al.* (2003, p. 1), a GQT pode ser definida como

> uma filosofia e um conjunto de princípios norteadores que representam o alicerce de uma organização em permanente aprimoramento. É a aplicação de métodos quantitativos e recursos humanos

para melhorar todos os processos da organização e atender às necessidades dos clientes hoje e no futuro.

No Brasil, a GQT chega incentivada tanto pela burocracia estatal, que buscava tornar as organizações brasileiras mais eficientes para competir no mercado global, quanto por meio de indústrias multinacionais, que importavam o conceito de suas matrizes até as indústrias nacionais que realizavam visitas técnicas a outros mercados, como os Estados Unidos e o Japão (CORREA, 2017; FALCONI, 2014a; FALCONI, 2014b; COLTRO, 1996). Organizações da sociedade civil foram constituídas para promover o desenvolvimento da GQT, sendo que, além de oferecer cursos, a mais conhecida delas – a Fundação Nacional da Qualidade (FNQ), que completou 25 anos em 2016 – instituiu o Prêmio Nacional da Qualidade, que reconhece as empresas mais comprometidas com a implementação da GQT (FERNANDES, 2011).

É preciso ainda destacar que, além de comprometimento da liderança, a implementação de um programa de GQT demanda esforço em treinamento e na mudança cultural necessária para que os novos conceitos possam ser absorvidos e implementados (HADDAD; EVORA, 2012; JANUZZI; VERCESI, 2010; CORDEIRO, 2004). O reconhecimento por parte das indústrias quanto à eficiência da GQT, como explicado anteriormente, fez com que diversos programas independentes – não necessariamente vinculados a programas maiores e que demandam maior investimento –, dedicados a melhorar o desempenho das áreas de vendas, fossem implementados no Brasil na última década (MOTTA; CORÁ, 2017).

3. METODOLOGIA

Este trabalho de pesquisa qualitativa é um estudo de caso. Segundo Creswell (2010, p. 86), "a pesquisa de estudo de caso é uma abordagem [...] na qual o investigador explora um sistema delimitado contemporâneo da vida real ao longo do tempo, [...] envolvendo múltiplas fontes de informação [...] e relata uma descrição do caso".

A intenção de realizar este estudo de caso é entender se e como a utilização do programa de gestão da qualidade total aplicado à área de vendas contribui para o atingimento das metas das indústrias de bens de consumo não duráveis no Brasil. Por se tratar de um caso que tem o objetivo de compreender o problema de pesquisa, ele é chamado por Stake (1995) de "caso instrumental".

Como os autores têm experiência no campo, uma das organizações na qual prestam serviços de consultoria aceitou participar deste estudo de caso, com a condição de não ter seu nome revelado. Trata-se de uma empresa multinacional presente em mais de 100 países, cujo faturamento anual no mundo é superior a 1 bilhão de dólares, e que tem no Brasil um faturamento anual de 100 milhões de reais.

A organização em questão, que conta com 75 colaboradores no total, é líder em uma categoria de alimentos e em uma categoria de bebidas *premium*, sendo que um produto *premium*, de acordo com a definição da empresa, é aquele cujo preço ao consumidor é superior ao preço do produto líder de mercado em pelo menos 20%.

No Brasil, ela atua em todas as regiões do país, e seu principal canal de distribuição são os supermercados. A empresa não participa de qualquer programa de gestão de qualidade total que envolva todas as suas áreas e não está associada a qualquer instituição que trabalhe com a qualidade no Brasil.

Para que a análise fosse feita, os autores tiveram acesso ao seu programa de GQT em vendas, às apresentações de resultados expostas ao conselho de administração e aos dados brutos obtidos em cada um dos indicadores do programa. Nesse momento, o programa completava um ano de existência e já tinha um histórico de 12 meses de resultados durante o ano de 2016.

Além disso, para entender a percepção da equipe comercial, que é composta pelos profissionais de vendas e *merchandising*, foi preparado um questionário com perguntas abertas e fechadas na ferramenta on-line de pesquisa SurveyMonkey, o qual foi enviado para os colaboradores da área comercial – um total de 38 profissionais. Para assegurar o anonimato dos respondentes, de modo a garantir que não ocorressem respostas enviesadas, não era necessário que eles se identificassem nominalmente. Essa garantia do anonimato foi explicada antes de que eles recebessem as perguntas, de acordo com orientação encontrada na literatura (YIN, 2016; CRESWELL, 2013; COOPER; SCHINDLER, 2013). Após uma semana do envio, todos haviam respondido ao questionário. Para compreender melhor alguns desdobramentos mais estratégicos do programa, os diretores da indústria também foram entrevistados pelos pesquisadores.

Para entender o perfil dos respondentes, quanto ao cargo, 31,5% ocupavam posição de liderança, que poderia ser de direção, gerência ou supervisão, e 68,5% ocupavam posições operacionais, que poderiam ser de vendedor ou promotor de *merchandising*. Um número maior de pessoas ocupava posições operacionais em detrimento das posições gerenciais, como é razoável em uma empresa com tais características. Quanto à experiência pregressa envolvendo programas com características semelhantes, a maior parte dos respondentes estava participando pela primeira vez de um programa dessa natureza, o que corresponde ao perfil esperado, visto que programas de qualidade nesse segmento estão sendo implementados há relativamente pouco tempo nas áreas de vendas, ao contrário do que se observa em outras áreas, em especial na área de produção.

Feita a descrição resumida das características do estudo e dos materiais utilizados pelos autores, a seguir serão apresentados com detalhes o processo de implementação do programa e os resultados obtidos em 2016, ano da sua implementação na empresa estudada.

4. RESULTADOS

A primeira parte dos resultados apresenta uma descrição das motivações da implementação do programa de acordo com a diretoria da empresa e qual o método adotado para essa implementação. Em seguida, são apresentados os resultados do programa no que se refere ao cumprimento das metas de vendas da empresa e da realização dos processos-chave. Finalmente, é avaliada a percepção dos colaboradores que participaram do programa.

4.1. Motivações e método de implementação

A organização estudada entrou no Brasil abrindo seus primeiros clientes por meio de representantes comerciais autônomos e distribuidores credenciados. Cada representante ou distribuidor era responsável por uma área geográfica específica. Como explica um dos diretores da indústria:

> "Nossa estratégia de entrada no mercado era não ter custos fixos enquanto não houvesse uma base mínima de faturamento. Então, optamos por representantes, que recebem um percentual do valor vendido e não possuem vínculo trabalhista, e distribuidores, que são clientes da empresa e revendem o produto para os varejistas."

Essa forma de trabalhar atendeu aos objetivos propostos; porém, em 2012, o modelo já havia atingido o seu limite, visto que o número de clientes não aumentava e as vendas naqueles já abertos não apresentavam crescimento. Em 2013, foi contratado um diretor comercial, que substituiu a equipe de representantes por uma equipe própria de vendedores e de promotores de *merchandising*. Com a equipe dedicada e treinada, houve novo crescimento nas vendas até o ano de 2015. Segundo o diretor comercial, o novo modelo, no entanto, poderia ter alcançado resultados melhores:

"Como contratamos uma equipe com diferentes experiências profissionais, não havia um padrão de trabalho. Enquanto algumas regiões apresentavam um resultado que atendia à nossa expectativa, outras tinham um desempenho pior. Com a piora da economia, decidi que era o momento de estabelecer um padrão adequado de atendimento para capturar todas as oportunidades e continuar crescendo."

Foi contratado um consultor externo, que tinha experiência pregressa no desenvolvimento e na implementação de programas de GQT para vendas em uma indústria de bebidas e em uma indústria de alimentos. Após 45 dias de entrevistas com os integrantes da equipe de vendas e *merchandising*, além dos clientes da empresa, esse consultor apresentou a sua visão de como o programa deveria ser estruturado:

"Como era uma empresa com uma estrutura relativamente pequena e ágil, e que não possuía qualquer outro programa de gestão da qualidade total em suas áreas, decidimos montar um programa que avaliasse metas simples de atingimento de receita líquida da empresa e de cada colaborador, e restringir o número de processos-chave àqueles que, se efetivamente realizados, seriam essenciais para o cumprimento das metas. Chegamos a um total de sete processos-chave."

Os processos-chave eram:

4.1.1. Planejamento do mês
Desdobramento das metas, por colaborador, entre cada um dos clientes da região atendida pelo referido colaborador, e elaboração de uma agenda de visitas mensal a cada um dos clientes da sua carteira. Esse planejamento deveria ser feito em uma planilha previamente forne-

cida, que deveria ser enviada no primeiro dia útil do mês ao analista responsável pela gestão do programa.

4.1.2. Visitas a clientes e pontos de venda

Realização das visitas planejadas, de forma que todas as centrais de compras dos clientes da empresa e as principais lojas de cada cliente fossem visitadas e corretamente abastecidas com os produtos. Cada visita deveria ser comprovada com um relatório em PowerPoint, com fotos dos pontos de venda visitados, expondo-se a senha do mês na foto, para assegurar a sua validade, e esse relatório deveria ser enviado no primeiro dia útil do mês seguinte.

4.1.3. Expansão da distribuição

Abertura de clientes de acordo com uma lista previamente construída com os clientes potenciais de cada setor. As metas eram mensais, e sua realização era apurada através do sistema de faturamento da empresa, no primeiro dia útil do mês subsequente.

4.1.4. Redução da ruptura

A ruptura de produto acontece quando a loja do varejista se encontra sem os produtos da organização. É mensurada através de relatórios emitidos por empresas especializadas, que recebem os dados brutos do próprio varejista. No caso dessa empresa, a fornecedora de informação era a BIS. Cada vendedor ou promotor tinha uma meta de ruptura máxima a ser tolerada nas lojas pelas quais era responsável, que era verificada a partir da análise do relatório mensal de informações disponibilizado pela BIS.

4.1.5. Cumprimento da política comercial

Como cumprimento da política comercial, deve-se entender que os vendedores comercializem seus produtos para os varejistas ao preço estipulado pela empresa e que esses varejistas comercializem os produtos adquiridos para os consumidores finais pelos preços sugeridos. Esses preços eram verificados pela pesquisa de preços realizada no 15º dia útil do mês.

4.1.6. Execução de pontos extras

Para aumentar a compra por impulso dos produtos, foi estabelecida uma meta de pontos extras para cada um dos vendedores e promotores. A obtenção de ponto extra consistia na exposição do produto em um local da loja que não fosse a gôndola na qual a categoria do produto era naturalmente exposta. Assim como a visita a clientes, cada ponto extra deveria ser comprovado com um relatório em PowerPoint, com a foto correspondente, expondo-se a senha do mês na foto, para assegurar a sua validade, e esse relatório deveria ser enviado no primeiro dia útil do mês seguinte.

4.1.7. Controle dos investimentos

Para atingir as metas de vendas, cada integrante da equipe de vendas tinha um orçamento para desenvolver ações de *trade marketing* com os clientes sob sua responsabilidade. Para assegurar que o orçamento seria cumprido, o colaborador pontuava nesse processo desde que não investisse mais do que o valor aprovado pela indústria. Essa apuração era feita pelo sistema interno da companhia no primeiro dia útil do mês seguinte.

O cumprimento das metas e dos processos-chave deveria acontecer mensalmente. Dentro do programa, o atingimento das metas dava direito a que o colaborador obtivesse até 75 pontos, e o cumprimento dos processos-chave permitia que ele recebesse até 25 pontos, em um total, portanto, de 100 pontos. Se obtivesse uma quantidade de pontos inferior a 75 no mês de apuração, o colaborador não receberia sua remuneração variável; a partir de 75 pontos atingidos, ele receberia sua remuneração variável, que poderia chegar a até 50% do salário-base que constava na sua carteira de trabalho. Além disso, quem cumprisse os 75 pontos ou mais em oito meses do ano era elegível ao bônus anual, que poderia chegar a até dez salários adicionais. Como explicou o diretor comercial:

> "Com o programa, não só definimos e comunicamos as metas de vendas e quais as rotinas que deveriam ser seguidas para assegurar que essas metas fossem atingidas de forma padronizada e regular, como também alinhamos os incentivos da equipe de vendas, desde o diretor, passando pelo gerente, até o vendedor e o promotor de vendas, com as necessidades da empresa."

Para envolver a equipe, o tema escolhido para o programa foram as artes marciais. Todo o material de apresentação e treinamento foi construído com metáforas sobre isso. Ao atingir os 75 pontos mensais, além da remuneração variável, o colaborador recebia também um diploma com a faixa conquistada. Todos os participantes começavam como faixas brancas em vendas, que é a faixa inicial da maioria das artes marciais, e o objetivo de todos era o de chegar à faixa preta, o que só seria possível se obtivessem a pontuação necessária por 12 meses. Um dos participantes do programa avaliou da seguinte forma a utilização do paralelo com as artes marciais:

> "A analogia com as artes marciais foi muito adequada, afinal, temos que lutar todos os dias para atingir nossos objetivos. Além disso, os reconhecimentos oferecidos, além de permitir que melhoremos nossa remuneração, atestam nossa capacidade e agregam valor ao currículo. Todos os integrantes da equipe estão muito motivados para se tornar faixas pretas em vendas e *merchandising*."

Para auxiliar a gestão do programa, além do suporte da consultoria, um analista de administração de vendas foi alocado para dar o apoio necessário. Foi também desenvolvido um portal na internet dedicado a receber as informações das metas e dos processos e apurar os resultados por participantes. A consultoria também recomendou a contratação de uma auditoria independente para avaliar mensalmente os documentos relacionados ao cumprimento de cada processo-chave e, em caso de dúvida, verificar o efetivo cumprimento no ponto de venda. Para selecionar e treinar o analista, desenvolver o portal e formatar o processo de auditoria, foram necessários mais 45 dias. Com isso, o tempo total para o desenvolvimento do programa, desde a ideia até ele estar pronto para ser lançado, foi de três meses.

4.2. Resultados: atingimento de metas e cumprimento de processos-chave

Para avaliar o impacto do programa de gestão da qualidade total da área comercial na empresa que é objeto deste estudo, foram utilizadas duas bases de informação. A primeira delas foi a "apresentação de resultados da empresa", feita mensalmente pela diretoria para o conselho de administração. A segunda base de informações foi uma pesquisa realizada com a equipe comercial (apenas os colaboradores que participaram do programa e os diretores), com a aplicação de um questionário respondido pelos colaboradores com suas impressões sobre o programa, de forma discursiva ou através de perguntas objetivas. Essa base foi denominada pelos autores de "pesquisa com os colaboradores".

Primeiramente são apresentados os resultados extraídos da apresentação de resultados. Para compreender como foram atingidos, eles são complementados com depoimentos extraídos da pesquisa feita com a equipe.

4.2.1. Atingimento das metas de receita líquida

Esse é o indicador que mostra a evolução do faturamento em reais para os clientes; é a receita da companhia. Cada participante do programa tinha uma meta de faturamento estabelecida mês a mês, constituindo-se em um dos principais indicadores medidos pelo programa. Pode-se observar pela Tabela 1 que, no primeiro ano, enquanto as vendas de bens de consumo não duráveis apresentaram queda, a empresa conseguiu fazer a sua receita crescer, e as categorias nas quais a organização atua apresentaram crescimento inferior.

Tabela 1 – Resultado em receita após o lançamento do programa.

Evolução de receita	Ano de implementação vs. ano anterior (%)
Bens de consumo não duráveis	-3
Categorias em que a empresa atua	5
Empresa	18

Segundo a avaliação dos seus executivos, as categorias em que a empresa estudada atua não foram tão afetadas pela situação econômica do país, uma vez que ela comercializa produtos de maior valor agregado, consumidos pelas classes A e B, as quais também não foram tão afetadas quanto as demais. Além disso, suas marcas são fortes e contribuíram para o crescimento das vendas nesse cenário econômico adverso. Mesmo assim, houve momentos na história da empresa, como os anos de 2012 e 2015, nos quais os objetivos desejados não foram atingidos e mudanças na forma de operar se fizeram necessárias, sendo que o programa de GQT foi desenvolvido como resposta a um desses períodos mais difíceis, o ano de 2015. Em 2016, o programa prestou uma contribuição decisiva para o atingimento de resultado tão positivo. Como relatou o diretor comercial:

> "A comunicação clara das metas, a definição dos processos-chave, o treinamento e o reconhecimento tanto financeiro quanto icônico oferecido pelo programa tornaram nossa equipe mais motivada e eficiente. Com isso, os resultados foram excelentes, permitindo que superássemos as metas e conquistássemos par-

ticipação de mercado, enquanto ocorreu o contrário com nossos principais concorrentes."

4.2.2. Realização dos processos-chave

Para compreender com maior profundidade a contribuição do programa para o resultado obtido, a seguir são apresentados os resultados atingidos por todos os processos-chave. O primeiro desses processos é o planejamento mensal. Segundo o gerente de vendas responsável pelas contas-chave, o principal benefício foi a possibilidade de desdobrar seu plano por cliente e, assim, desenvolver estratégias e táticas customizadas a cada um:

> "Antes, a cada mês, eu realizava uma negociação independente com cada cliente. Com a necessidade de desenvolver o planejamento todos os meses, passei a utilizar esse tempo para refletir sobre qual seria a melhor estratégia e quais ações de *trade marketing* deveria fazer para cada um dos clientes. Logo, desenvolvi PACC [programas de aceleração do crescimento com clientes] para cada um dos mesmos. Estabeleci um horizonte de tempo de seis meses para cada PACC, recebendo e agregando as sugestões de cada cliente. Com isso, trabalhei com eles de forma alinhada, perseguindo objetivos comuns."

O processo seguinte, a efetiva realização das visitas planejadas a clientes e lojas, de acordo com o planejamento efetuado, contribuiu, na opinião da equipe de vendas e *merchandising*, para a melhoria da execução das ações e também para a realização de melhores negociações, como explica um vendedor do Rio de Janeiro:

> "Antes do programa, passava a maior parte do tempo nas centrais de compra. A partir do momento em que tive que planejar e realizar visitas às lojas, pude perceber que muitas coisas negociadas

nas centrais não eram efetivamente realizadas. Passei, então, a acompanhar mais de perto a execução das ações planejadas. E, com esse conhecimento e aprendizado, passei a fazer negociações melhores também, pois sabia o que dava certo e o que não funcionava nas lojas."

Os resultados do processo-chave que buscava a expansão de clientes tiveram um impacto que contribuiu para o crescimento da receita. Antes da implementação do programa, a equipe não dedicava tempo suficiente para a prospecção de novos clientes e se concentrava em aumentar as vendas na carteira atual de clientes. A partir do momento em que passou a focar também na conquista de novos clientes, a carteira de clientes atendidos pela organização cresceu em 48%. Com a abertura desses clientes, o número de lojas que comercializam o produto cresceu 102%, uma vez que os clientes – em especial, os supermercadistas – têm várias lojas. Como explica o gerente de vendas de Minas Gerais:

> "Antes do programa, meu dia a dia era focado em aumentar as vendas por metro quadrado naqueles clientes que eu e minha equipe já atendíamos. A partir do momento em que esse processo-chave foi inserido na nossa rotina, e também recebemos a lista de clientes que deveríamos abrir, os resultados vieram. E melhor ainda: passei a não depender apenas de poucos clientes para bater a meta, já que tinha muito mais clientes."

Outro processo-chave que teve alto impacto no melhor desempenho de vendas foi a redução da ruptura. Antes do início do programa, a empresa dedicava mais atenção a vender para os varejistas do que a fazer com que os varejistas vendessem para os consumidores. Dessa forma, o índice de ruptura dos produtos nas lojas era 50% maior do que a média das categorias. Com a implementação do programa e o trabalho realizado loja a loja, em especial pela equipe de promotores de vendas, a ruptura teve uma queda acentuada, passando a ser inferior à média da categoria. Assim, os consumidores passaram a encontrar os produtos que procuravam e a adquiri-los com mais frequência. A Tabela 2 apresenta os resultados da queda da ruptura conquistados pelo programa.

Tabela 2 – Redução da ruptura.

Ruptura	%
Índice de ruptura antes do programa	12
Índice médio de ruptura nas categorias	8
Índice de ruptura após o programa	4

Um dos promotores da empresa, responsável pelo abastecimento de lojas no Rio de Janeiro, relatou o esforço feito para reduzir a ruptura: "A partir do momento em que o programa passou a nos pontuar pela redução da ruptura, eu não aceitava visitar uma loja e encontrar rupturas. A ruptura passou a ser nosso maior inimigo, e missão dada é missão cumprida. Só saía da loja com isso resolvido".

Uma vez que a organização estudada trabalhava com produtos voltados para a classe com maior poder aquisitivo, os varejistas que comercializavam o produto frequentemente utilizavam *mark-ups* mais altos do que os praticados em produtos mais populares das mesmas categorias. Antes da implementação do programa, ainda que a empresa tivesse conhecimento disso, nenhum direcionamento mais incisivo era dado para combater a situação, e os produtos terminavam por chegar aos consumidores acima dos preços ideais. Quando o programa teve início, 49% dos preços praticados ao consumidor estavam acima dos sugeridos. No final do primeiro ano, ainda que fosse um problema que não havia sido solucionado por completo, apenas 34% dos preços praticados estavam acima do que a indústria considerava como ideal.

"Muitos consumidores me comentavam nas lojas que nossos produtos estavam mais acessíveis, que tínhamos abaixado o preço", relatou um promotor de Curitiba.

O próximo processo-chave era a execução de pontos extras. No ano anterior à implementação do programa, foram montados pela equipe de promotores 3.118 pontos extras ao longo do tempo. Apesar de serem produtos que aumentavam muito suas vendas quando expostos em pontos extras, pelo seu perfil adequado à compra por impulso, muitos pontos deixavam de ser montados. Como explicou o gerente de vendas responsável pelo Sul do país:

> "Antes do programa de gestão da qualidade total em vendas, em muitos clientes desistíamos de montar os pontos extras, pois os valores cobrados pelas centrais dos varejistas eram muito altos. Quando a execução destes pontos passou a pontuar no programa, toda a equipe passou a procurar formas criativas para cumprir esse processo. Passamos a negociar os pontos loja a loja, negociando não mais com os compradores, e sim com os gerentes e encarregados das lojas. Com isso, acabamos tendo pontos em muitas lojas através do relacionamento da nossa equipe de vendedores e promotores."

Ao final do ano, após a implementação do programa, haviam sido montados 13.542 pontos extras – um crescimento de 334% em comparação com o período anterior. A Figura 1 apresenta a evolução mensal da confecção desses pontos. É possível observar que, desde o primeiro mês, houve um número significativo de pontos extras e que a quantidade mensal cresceu mês a mês ao longo de todo o ano.

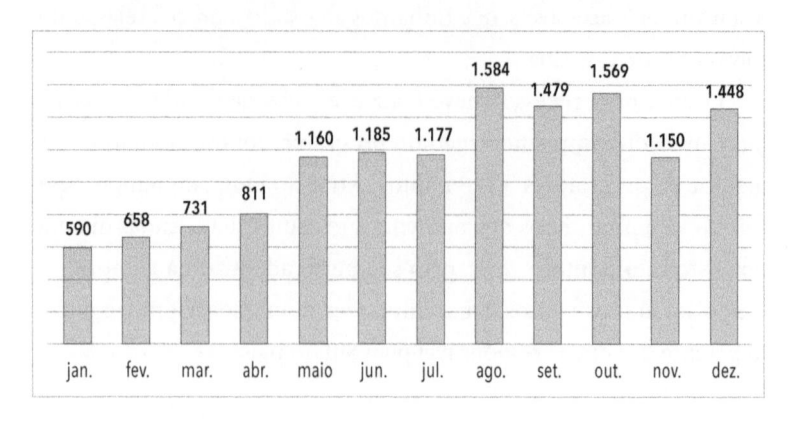

Figura 1 – Evolução mensal da execução de pontos extras.

jan.	590
fev.	658
mar.	731
abr.	811
maio	1.160
jun.	1.185
jul.	1.177
ago.	1.584
set.	1.479
out.	1.569
nov.	1.150
dez.	1.448

Finalmente, o processo que controlava os investimentos em ações de *trade marketing* era fundamental para que as metas de receita líquida fossem atingidas, sem prejudicar a lucratividade. Com a equipe de vendas alinhada com o processo-chave, apenas 85% dos recursos disponibilizados pela organização foram utilizados; portanto, não só os resultados de receita líquida foram atingidos, como também aqueles de lucratividade. Como explicou o gerente do Rio de Janeiro:

> "Antes do programa, nosso único objetivo era bater as metas. Muitas vezes, alguns colaboradores gastavam mais do que o orçamento que tínhamos para o mês, aí abriam uma conta-corrente com o cliente. A empresa sempre ficava devendo, o que piorava o relacionamento com o cliente e, às vezes, quando a despesa tinha que ser paga, o colaborador responsável ficava sem recursos para bater a meta. Agora, está claro para todos que, para nos graduarmos no programa, não basta atingir a meta: deve-se fazer isso com os recursos disponíveis."

Ao longo do ano, a indústria reformulou toda a sua gestão comercial para se adequar ao programa de GQT em vendas. Além do portal, das análises efetuadas a partir dos bancos de dados construídos com as informações do programa e da designação de um analista dedicado ao programa, a área de administração de vendas desenvolveu relatórios de acompanhamento dos processos-chave, a pedido da própria equipe de vendas e *merchandising*, que buscava acompanhar com maior frequência ao longo do mês a evolução da abertura de clientes, da redução da ruptura, da execução de pontos extras, dos preços ao consumidor e da utilização de verbas. Além do suporte à gestão desenvolvido pela administração de vendas, o departamento de *trade marketing* começou a alinhar os calendários promocionais às prioridades do programa. Por exemplo: para cada cliente aberto no ano, o vendedor responsável oferecia uma semana de degustação de produtos. Os materiais de ponto de venda também passaram a ser desenvolvidos com o preço sugerido do produto, para incentivar a sua prática pelo varejista. "Com o programa, passamos a trabalhar muito mais alinhados com as áreas de suporte. O sentimento é que estamos jogando todos no mesmo time", declarou um vendedor do Sul do país.

4.3. Pesquisa com os colaboradores

Na pesquisa aplicada aos colaboradores que participaram do programa, foi perguntado se ele tinha impacto sobre os processos-chave indicados, se esse impacto era relevante para a melhoria do referido processo, se os processos-chave continuariam a melhorar no futuro por meio do programa e qual a avaliação dos colaboradores sobre os treinamentos ministrados para fixar os conceitos dele. Além das questões fechadas, questões abertas tiveram como objetivo entender mais detalhadamente a percepção dos colaboradores sobre o programa.

Em relação à primeira pergunta, na avaliação dos colaboradores, todos os processos-chave pesquisados foram impactados, conforme apresentado na Figura 2. O depoimento do gerente de administração de vendas reforça as causas do sucesso obtido:

"O programa não poderia ter vindo em melhor momento para a empresa. Tínhamos resultado, mas faltava gestão. Controle, dados quantitativos, análises individuais de desempenho. O programa triunfou logo nos primeiros meses. Através dele foi possível avaliar de forma tangível e racional a permanência e a promoção de um colaborador ou sua substituição, por exemplo. A excelência se tornou a obsessão da equipe. Todos mencionam os processos-chave diariamente nas ferramentas de comunicação que utilizamos. Por fim, o programa trouxe informações inéditas pra minha área, que possibilitaram a criação de relatórios complexos. Esses relatórios voltaram pra equipe como dados ricos para acelerar os resultados. Ou seja, o programa criou um sistema cíclico que só gera um produto final: o resultado excelente."

Figura 2 – Percentual de colaboradores que acreditam que o programa impactou nos resultados por processo-chave.

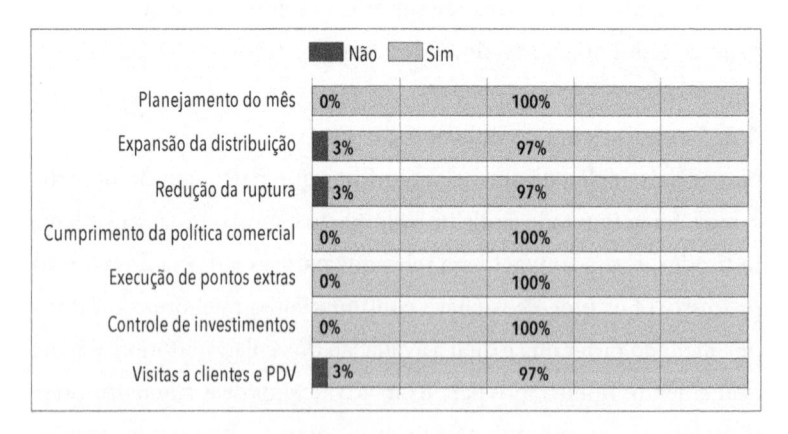

Processo-chave	Não	Sim
Planejamento do mês	0%	100%
Expansão da distribuição	3%	97%
Redução da ruptura	3%	97%
Cumprimento da política comercial	0%	100%
Execução de pontos extras	0%	100%
Controle de investimentos	0%	100%
Visitas a clientes e PDV	3%	97%

Perguntou-se em seguida qual o grau de importância do lançamento do programa para a melhoria de cada processo-chave. Percebe-se que a equipe reconhece que o programa contribuiu para a melhoria de todos os processos-chave, como está apresentado na Figura 3. Pelos depoimentos obtidos, pode-se concluir que o programa contribuiu para alinhar os planos de trabalho dentro da empresa e também aqueles dela para com seus clientes, além de constituir-se em um programa claro e formalizado de reconhecimento do desempenho de cada colaborador, o que o motivou a participar e superar suas metas. Não houve depoimentos negativos sobre o programa, mesmo por parte daqueles colaboradores que não lhe deram nota máxima. A seguir, encontram-se alguns depoimentos por meio dos quais ficam explícitas as questões do alinhamento, do reconhecimento e da motivação.

a. Benefícios obtidos com o programa: alinhamento

"Conseguimos trabalhar em harmonia com nossos clientes, desenvolvendo um modelo único de trabalho, tendo em vista termos os mesmos objetivos a serem alcançados, a saber: aumento de faturamento, visibilidade e rentabilidade" (gerente de vendas de Minas Gerais).

"O programa é uma ferramenta excelente de gestão, que ajuda na tomada de decisões, mas que, acima de tudo, precisa que todas as áreas da empresa estejam envolvidas e funcionem como uma engrenagem perfeita" (gerente de vendas do Rio de Janeiro).

"Através do programa, conseguimos executar o trabalho de maneira uniforme, falando a mesma linguagem em toda a empresa, resultando em melhorias no ponto de venda" (vendedor do Rio Grande do Sul).

b. Benefícios obtidos com o programa: reconhecimento

"Minha impressão é que o programa consiste em reunir conceitos e ferramentas necessárias para uma melhor performance, crescimento e resultados positivos. Eu os pratiquei e obtive melhores resultados em minha vida profissional e pessoal" (vendedor de Minas Gerais).

"O programa é excelente para o crescimento e desenvolvimento da empresa e para ampliar a visão e as competências do colaborador" (promotor de vendas de São Paulo).

c. Benefícios obtidos com o programa: motivação

"Minha impressão é totalmente favorável, confio e acredito, pois o programa tem padrões definidos e justos sobre os processos-chave que temos que cumprir" (promotor de vendas do interior de São Paulo).

Figura 3 – Avaliação do grau de importância do programa para a melhoria de cada processo-chave, de 1 (pouco importante) até 5 (muito importante).

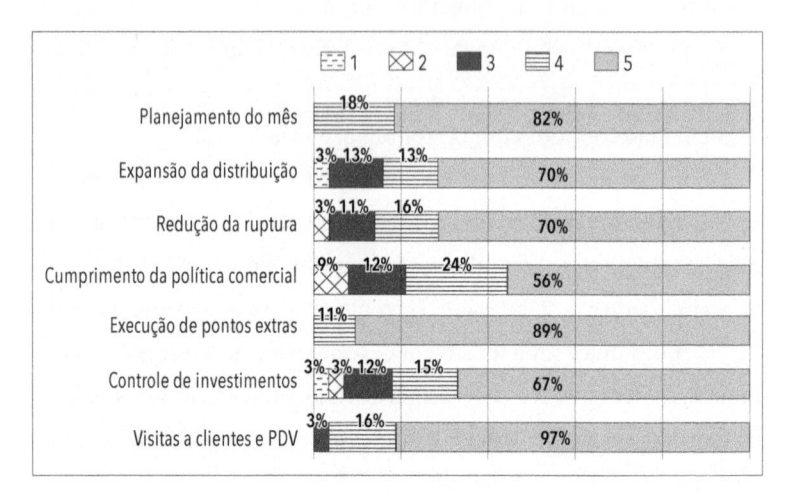

Processo-chave	1	2	3	4	5
Planejamento do mês				18%	82%
Expansão da distribuição	3%	13%		13%	70%
Redução da ruptura	3%	11%		16%	70%
Cumprimento da política comercial	9%		12%	24%	56%
Execução de pontos extras				11%	89%
Controle de investimentos	3%	3%	12%	15%	67%
Visitas a clientes e PDV	3%			16%	97%

Em seguida, perguntou-se aos colaboradores se os processos-chave continuariam a progredir no próximo ano. Na visão deles, as melhorias obtidas com a realização dos processos-chave continuariam a progredir, pois, ainda que houvesse muitas melhoras já conquistadas, em se analisando cada setor e cada processo-chave, havia não só muito trabalho para manter os resultados obtidos, como também oportunidades a serem exploradas. As respostas obtidas por processo-chave encontram-se na Figura 4. Como relatou um vendedor do Rio de Janeiro: "Temos muito a melhorar ainda. Por exemplo, ao analisar os preços praticados pelos meus clientes, muitos ainda trabalham com preços superiores àqueles sugeridos por nós".

Figura 4 – Percentual de colaboradores que acreditam que o processo-chave continuará a melhorar com o programa.

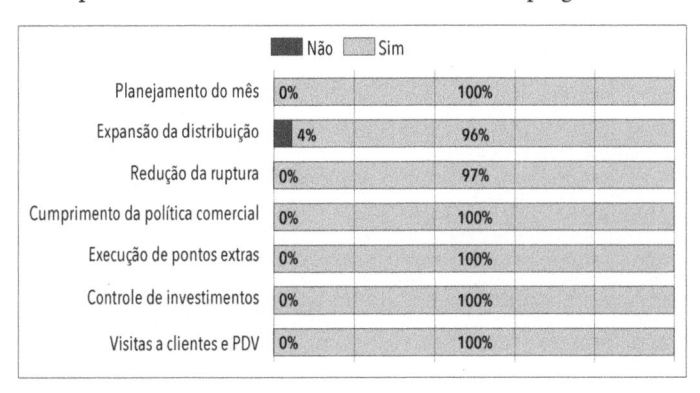

	Não	Sim
Planejamento do mês	0%	100%
Expansão da distribuição	4%	96%
Redução da ruptura	0%	97%
Cumprimento da política comercial	0%	100%
Execução de pontos extras	0%	100%
Controle de investimentos	0%	100%
Visitas a clientes e PDV	0%	100%

Finalmente, perguntou-se aos colaboradores o que haviam achado dos treinamentos ministrados ao longo do ano para reforçar os conceitos do programa. Os treinamentos foram divididos em manuais, palestras, treinamentos práticos e de um dia ou mais no escritório, entre outros. Todas as iniciativas foram consideradas muito importantes para o sucesso do programa (não houve atribuição de pouca importância a nenhum deles), como pode ser observado na Figura 5.

Figura 5 – Grau de importância dado à capacitação dos funcionários para as formas de capacitação oferecidas, de 1 (pouco importante) a 5 (muito importante).

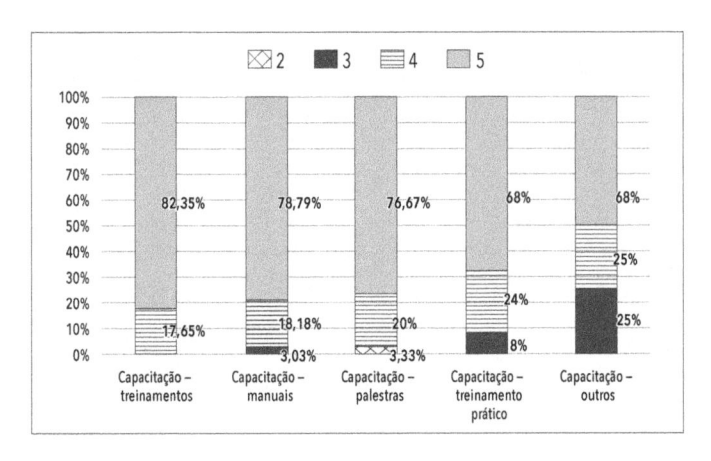

Capacitação	2	3	4	5
Capacitação – treinamentos			17,65%	82,35%
Capacitação – manuais	3,03%		18,18%	78,79%
Capacitação – palestras	3,33%		20%	76,67%
Capacitação – treinamento prático		8%	24%	68%
Capacitação – outros		25%	25%	68%

Para o gerente de contas-chave, um ponto relevante do treinamento foi ter a oportunidade de entender como outros gerentes e demais membros da equipe estavam cumprindo os processos-chave e atingindo suas metas: "Em primeiro lugar, aprendemos mais, pois quem aplica o treinamento agrega seu conhecimento às explicações. Além disso e mais importante ainda, a troca de informações sempre traz algo novo e relevante que pode ser usado no meu trabalho".

Já para outros colaboradores, os treinamentos contribuíram não só para o atingimento dos resultados da empresa, como também para outras esferas da vida do colaborador, além do trabalho. Como descreveu um vendedor de Minas Gerais: "O programa me ensinou a ser quantitativo na minha vida pessoal. A definir indicadores para minha vida acadêmica, para minhas finanças pessoais, para a minha saúde. E a construir planos de ação para trabalhar e atingir essas metas". Outro vendedor, de São Paulo, declarou: "Pra mim, esse programa é um estilo de vida, onde consigo aprimorar técnicas de maneira prática e organizada. Reflete a todo momento na minha capacidade de traçar objetivos e alcançá-los; ajuda no meu senso de tomadas de decisões e organização". E o vendedor do Rio de Janeiro concordou com os outros, ao afirmar: "O programa é um manual para o vendedor profissional. Ele guia os passos do profissional através do melhor caminho para a superação dos objetivos. Além disso, ele mede os resultados e expõe pontos que precisam ser aperfeiçoados".

5. CONCLUSÕES

O objetivo deste trabalho consistia em entender quais as motivações, como é estruturado e qual a contribuição do programa de GQT em vendas para o desempenho de uma empresa de bens de consumo não duráveis. Para começar a elucidar a questão, foi realizado um estudo de caso com uma empresa que produz e comercializa alimentos e bebidas, na qual foram contempladas as motivações para a implementação do programa e o método utilizado para isso. Foi mensurado o resultado da receita líquida antes e depois do lançamento do programa, assim como também foi avaliado o cumprimento dos processos-chave. Além da avaliação quantitativa, foi realizada uma pesquisa com os colaboradores que atuam no departamento comercial para entender melhor a avaliação feita.

No estudo, percebeu-se que a motivação do programa era a superação de metas de vendas a partir da prática padronizada de processos-chave para o desempenho. Uma vez que a empresa não participava de nenhum programa de GQT, foi contratado um consultor para apoiar seu desenvolvimento específico para a área de vendas. Após estudar a empresa e suas características, o consultor propôs que as metas da equipe fossem de receita líquida e elegeu sete processos para integrar o programa. O atingimento das metas e o cumprimento dos processos selecionados foram vinculados à remuneração variável da equipe e, para ter uma motivação complementar, o programa teve como tema as artes marciais, que serviram como metáfora para as atividades que se esperava que a equipe desempenhasse. Foram realizados treinamentos ao longo de todo o ano do programa.

Os resultados foram o crescimento da receita da empresa, superior ao que aconteceu com as categorias em que ela atuava, enquanto o mercado de bens de consumo não duráveis decresceu no período. Os colaboradores, cujo anonimato foi preservado na pesquisa, declararam que os principais fatores que contribuíram para o sucesso do programa, na sua perspectiva, foram o alinhamento maior que tiveram com as outras áreas, uma forma de reconhecimento bem formatada para aqueles que atingissem as metas e cumprissem os processos-chave, e também maior motivação para a realização do seu trabalho após a implementação do programa. Contribuíram muito para o sucesso os treinamentos desenvolvidos, que foram reconhecidos como sendo úteis para o cumprimento de suas tarefas e para os próximos passos em suas carreiras.

Outro ponto de destaque é que o programa de GQT em vendas, mesmo quando desenvolvido em uma empresa sem experiência pregressa em programas de qualidade, influencia outras áreas que são necessárias para o atingimento dos objetivos comerciais da empresa. Na empresa estudada, atividades, estruturas e processos relacionados foram revistos para se alinhar às necessidades que surgiram para o cumprimento metódico e consistente do programa.

Para complementar este estudo de caso, recomenda-se a realização de novos estudos quantitativos e qualitativos, que aprofundem o entendimento das motivações da implementação de programas de gestão da qualidade total em vendas em indústrias de bens de consumo não duráveis e também em outros segmentos da economia. Cabe, ainda, compreender com mais profundidade os métodos de implementação para que se obtenha uma metodologia que seja replicável. Em outras empresas, é possível que as metas e os processos-chave não sejam os mesmos; então, é relevante entender o impacto nas possíveis novas metas, como margem de contribuição e também de outros processos. Na organização estudada, após o sucesso do primeiro ano, pode-se entender qual foi o resultado obtido nos anos seguintes para compreender a sustentabilidade do programa.

REFERÊNCIAS

ALMEIDA, C. et al. Trade marketing no setor de lojas de conveniência. **RAE: Revista de Administração de Empresas**, São Paulo, v. 52, n. 6, p. 643-656, 2012.

ALVAREZ, F. J. S. Mendizabal. *Trade marketing*: a conquista do consumidor no ponto de venda. São Paulo: Saraiva, 2008.

BACHA, E. **A crise fiscal e monetária brasileira**. São Paulo: Civilização Brasileira, 2017.

BESTERFIELD, D. H. et al. **Total quality management**. Upper

Saddle River: Pearson Education, 2003.

BOLLE, M. B. de. **Como matar a borboleta azul**. Rio de Janeiro: Intrínseca, 2016.

CALLIARI, M.; MOTTA, A. **Código Y**: decifrando a geração que está mudando o Brasil. São Paulo: Évora, 2012.

COLTRO, A. A gestão da qualidade total e suas influências na competitividade empresarial. **Caderno de pesquisas em Administração**, São Paulo, v. 1, n. 2, p. 106-107, 1996.

COOPER, D. R.; SCHINDLER, P. S. **Métodos de pesquisa em Administração**. São Paulo: Bookman, 2013.

CORDEIRO, J. V. B. D. M. Reflexões sobre a gestão da qualidade total: fim de mais um modismo ou incorporação do conceito por meio de novas ferramentas de gestão? **Revista da FAE**, Curitiba, v. 7, n. 1, p. 19-33, 2004.

CORREA, C. **O que importa é o resultado**. Rio de Janeiro: Primeira Pessoa, 2017.

CRESWELL, J. **Projeto de pesquisa**: método qualitativo, quantitativo e misto. Porto Alegre: Artmed, 2010.

CRESWELL, J. **Investigação qualitativa e projeto de pesquisa**. Porto Alegre: Artmed, 2013.

DEMING, W. E. **Quality, productivity and competitive position**. Cambridge: Massachusetts Institute of Technology, 1982.

FALCONI, V. **Qualidade total**: padronização de empresas. Nova Lima: Falconi Editora, 2014a.

FALCONI, V. **TQC**: controle da qualidade total no estilo japonês. Nova Lima: Falconi Editora, 2014b.

FERNANDES, W A. **O movimento da qualidade no Brasil**. São Paulo: Essential, 2011.

GODOI, A.; LAS CASAS, A.; MOTTA, A. A utilização do Facebook como ferramenta de marketing para construir relacionamento com o consumidor: um estudo de *fan pages* no Brasil. **Business and**

Management Review, Londres, v. 5, n.1, p. 97-112, jun. 2015.

HADDAD, M. D. C. L.; ÉVORA, Y. D. M. Implantação do programa de qualidade em hospital universitário público. **Ciência, Cuidado e Saúde**, Maringá, v. 11, n. 5, p. 78-86, 2012.

ISHIKAWA, K. **What's total quality control? The japanese way**. Englewoods Cliffs: Prentice Hall, 1985.

JANUZZI, U. A.; VERCESI, C. Sistema de gestão da qualidade na construção civil: um estudo a partir experiência do PBQP-H junto às empresas construtoras da cidade de Londrina. **Revista Gestão Industrial**, Curitiba, v. 6, n. 3, p. 136-160, 2010.

JURAN, Joseph M. **Quality control handbook**. Nova York: McGraw Hill Book Company, 1980.

KUMAR, N. **Marketing como estratégia**. São Paulo: Campus, 2004.

MORICCI, R. **Marketing no Brasil**. São Paulo: Campus, 2013.

MOTTA, A. G. **A utilização do marketing de conteúdo e do *storytelling* como ferramentas para construção de marcas na pós-modernidade**. Dissertação (Mestrado em Administração) – Departamento de Administração da Faculdade de Economia, Administração e Contabilidade da Pontifícia Universidade Católica de São Paulo, 2016.

MOTTA, R. G.; CORÁ, M. A. J. Uma crítica ao discurso da gestão da qualidade total a partir do pensamento de Maurício Tragtenberg. *In*: ENANPAD, 41., 2017, São Paulo. **Anais** [...] São Paulo: Fundação Getulio Vargas, 2017.

MOTTA, R. G.; TURRA, F. J.; MOTTA, A. G. *Trade marketing*: uma análise a partir da "Estrutura das revoluções científicas". **Revista SODEBRAS,** Guaratinguetá, v. 12, n. 133, p. 76-82, 2017.

MOTTA, R. G.; SANTOS, N.; SERRALVO, F. *Trade marketing*: teoria e prática para gerenciar os canais de distribuição. São Paulo: Campus, 2008.

MOTTA, R. G.; SILVA, A. V. Aumento da competição no varejo e seu impacto na indústria. **Revistas Gerenciais**, São Paulo, v. 5,

p. 101-1008, 2006.

PARENTE, J.; BARKI, E. **Varejo no Brasil:** gestão e estratégia. São Paulo: Atlas, 2014.

PORTER, M. **A vantagem competitiva**: criando e sustentando um desempenho superior. NY: Free Press, 1985.

PULIZZI, J. **Epic content marketing**: how to tell a different story, break through clutter, and win more customers by marketing less. Nova York: McGraw Hill, 2014.

SALTO, F.; ALMEIDA, M. **Finanças públicas**. Rio de Janeiro: Record, 2016.

SHEWHART, W. A. **Economic control of quality of manufactured product**. Nova York: D. Van Nostrand Company, Inc., 1931.

SILVA NETO, N. B.; MACEDO-SOARES, D. V. A.; PITASSI, C. Adequação estratégica das áreas de *trade marketing* das empresas de bens de consumo atuando no Brasil. **ADM.MADE**, Rio de Janeiro, v. 15, n. 1, p. 1-22, 2011.

STAKE, R. E. **The art of case study research**. Thousand Oaks: Sage, 1995.

YIN, R. K. **Pesquisa qualitativa do início ao fim**. Porto Alegre: Penso, 2016.

TRILHA 2

RESULTADO CRÍTICA ESPORTE

CAPÍTULO 3

ESPORTISMO: COMPETÊNCIAS ADQUIRIDAS NO ESPORTE QUE AUXILIAM O ATINGIMENTO DA ALTA PERFORMANCE PROFISSIONAL[6]

Rodrigo Guimarães Motta
Wagner Castropil
Neusa Maria Bastos Fernandes dos Santos

RESUMO

Este é um estudo qualitativo de teoria fundamentada, no qual os autores propõem que, além da formação teórica necessária e da própria formação que se dá mediante a vivência, a prática esportiva também pode contribuir para o sucesso do executivo no ambiente desafiador e complexo dos dias atuais. A partir de entrevistas realizadas com 125 executivos em posições de liderança em suas organizações e que tinham uma experiência esportiva pregressa, os autores propõem um modelo – ao qual chamam de "esportismo" – composto por cinco competências que podem ser apreendidas por meio do esporte e que são utilizáveis em sua atuação profissional de forma a que eles obtenham melhores resultados em suas atividades

---

6. Originalmente publicado na **Revista SODEBRAS**, v. 12, n. 134, fev. 2017, p. 25-30.

no trabalho. Essas seguem uma ordem lógica e são: a atitude, a visão, a estratégia, a execução e o *teamwork*. No contexto do estudo das competências organizacionais, o artigo apresenta alternativas para as diferentes competências individuais a serem trabalhadas dentro do modelo de gestão por competências.

Palavras-chave: Competências. Esportismo. Gestão.

1. INTRODUÇÃO

Há diversos estudos que exploram a importância da gestão por competências para o sucesso das empresas e dos seus executivos. Livros como os de Carbone *et al.* (2009), Dutra (2004) e Fleury e Fleury (2001) demonstram e ressaltam a importância da contratação de executivos que tenham as competências necessárias para sua função. Uma vez contratados, eles podem ser treinados, avaliados e reconhecidos pelo desenvolvimento dessas competências, que contribuirão para o sucesso da organização.

Diversos autores, entre os quais Durand (2000), já destacaram em seus estudos que a posse de certas competências por parte dos executivos – e, por consequência, das organizações das quais eles fazem parte – confere uma performance superior tanto a eles próprios quanto às empresas em que atuam, permitindo que os resultados dos negócios sejam maximizados e superem aqueles dos seus concorrentes.

A linha americana que estuda as competências, composta por autores como Boyatzis (1982), enfatiza que a competência é formada por conhecimentos, habilidades e atitudes (CHA) que permitem ao executivo enfrentar os desafios que o trabalho apresenta e superá-los a contento da sua carreira e da organização em que ele trabalha.

De acordo com Carbone *et al.* (2009, p. 45), os conhecimentos são "informações que, ao serem reconhecidas e integradas pelo indivíduo em sua memória, causam impacto sobre seu julgamento ou seu comportamento". Já as habilidades, segundo os autores, envolvem "a aplicação do conhecimento, [...] a capacidade da pessoa de instaurar conhecimentos armazenados em sua memória e utilizá-los em ação". Por fim, as atitudes, conforme Durand (2000), estão relacionadas a aspectos sociais e afetivos relacionados ao trabalho.

O conhecimento de quais competências fazem a diferença para a performance de um indivíduo no seu trabalho permite que a organização na qual ele está inserido faça uma gestão dessas competências, levando-as em consideração para a contratação de talentos, para a avaliação do desempenho do profissional e para a realização de treinamentos estruturados voltados à capacitação da equipe, servindo como plataforma para programas de remuneração e reconhecimento e como subsídio para a orientação profissional.

A necessidade de formar pessoas mais competentes e a utilização da gestão por competências é uma prática cada vez mais disseminada nas empresas, dado o cenário altamente competitivo, com mudanças relevantes no perfil do consumidor e dos segmentos empresariais, as quais estão brevemente descritas a seguir.

Ao analisar os novos consumidores, percebe-se que eles não se satisfazem com as formas convencionais de divulgação dos produtos, como foi pontuado por Calliari e Motta (2012). Novas ferramentas, como as mídias sociais, são mais atraentes e envolventes, capazes de oferecer um resultado de maior impacto. Hoje, de acordo com Godoi, Las Casas e Motta (2015), para construir relacionamento com o consumidor, é mais fácil obter resultados mais significativos por meio do Facebook, por exemplo, do que por meio das mídias convencionais, tais como a televisão, o rádio e a propaganda de rua. Pulizzi (2014) ainda defende que não basta identificar essas novas ferramentas: é necessário construir competências para se comunicar com os novos consumidores através dessas ferramentas, como o *storytelling*.

O aumento da competitividade em segmentos empresariais, tema extensamente abordado por autores como Porter (1989), continua a se acirrar pelas últimas duas décadas, como exemplificado por Motta, Santos e Serralvo (2008), e nada indica que será reduzido nos próximos anos. Novos entrantes, sejam multinacionais ou empresas locais impulsionadas por inovações de impacto, aparecem em diversos segmentos. O desafio de fazer com que a receita e a rentabilidade cresçam nessa situação está presente no dia a dia das empresas, e isso não é algo trivial.

Dessa forma, cabe aos gestores saberem quais competências podem fazer a diferença para os executivos das suas organizações frente ao cenário altamente competitivo e em transformação que todos estão enfrentando. E, a partir da experiência e das pesquisas dos autores, o esporte pode oferecer uma direção e uma sugestão de quais são essas competências.

Hoje, é possível encontrar diversos livros voltados para a formação executiva escritos por esportistas ou por executivos com vivência no esporte. Os autores desses livros podem ser treinadores de reconhecido sucesso e de diferentes modalidades, como os técnicos de vôlei Bernardinho (ANDRADE, 2006), de futebol americano Dungy e Whitaker (2011) e de basquete Wooden (JAMISON; WOODEN, 2011). Esses autores também podem ser atletas vitoriosos, como o lutador de MMA Vitor Belfort (2012), o lutador de boxe Foreman (2007) e o jogador de basquete Michael Jordan (2000). De modo geral, todos descrevem sua trajetória bem-sucedida no esporte e propõem como ela poderia ser aplicada no ambiente de negócios. Ao lado deles, executivos como Diniz (2004) apresentam a contribuição que o esporte conferiu ao sucesso da sua carreira. Contudo, observa-se que, não obstante esses livros serem interessantes e terem aceitação por parte do público, eles se configuram como relatos de experiências individuais, carentes de pesquisa acadêmica, sem uma relação lógica e imediata com as competências que devem ser adquiridas por executivos e organizações a fim de que sejam bem-sucedidos no atual cenário.

Os autores deste artigo, eles próprios acadêmicos, executivos e praticantes de esportes, estudam o tema desde 2006, pelo menos. A partir desses estudos, foi detectado que (como sugere a literatura anteriormente mencionada, mas que não explora o tema com o necessário rigor acadêmico) as competências são adquiridas na prática esportiva mediante um processo de desenvolvimento chamado "esportismo".

Uma definição de esportismo foi proposta no livro *Esportismo: valores do esporte para a alta performance pessoal e profissional*, escrito por Castropil e Motta (2010). Ao atualizar a definição encontrada nesse livro, chega-se ao entendimento de que o esportismo é a aquisição de competências por meio da prática esportiva, sendo que essas competências podem contribuir não apenas para a melhora do desempenho da própria prática esportiva, como também para o atingimento das metas profissionais daqueles que as utilizam no seu trabalho e na sua vida pessoal.

É nesse contexto que o desafio desta pesquisa consiste em detectar quais são essas competências e qual a contribuição de cada uma, bem como do conjunto combinado, para o sucesso do executivo.

2. PROCEDIMENTOS

O foco desta seção está no desenvolvimento de uma teoria fundamentada em dados de campo que demonstre se, por meio da prática esportiva, é possível formar melhores empresários e executivos para trabalhar no atual ambiente de negócios do Brasil e, em caso afirmativo, quais são essas competências adquiridas no esporte e aplicadas na vida profissional com sucesso.

Estudos qualitativos de teoria fundamentada têm como objetivo adquirir novos conhecimentos de determinado campo do conhecimento e inferir possíveis aplicações práticas, expandindo a teoria desenvolvida até o momento sobre o objeto de estudo. Para a elaboração de uma teoria fundamentada, segundo Creswell (2013), devem-se realizar entrevistas com indivíduos que componham uma amostra intencional, o que foi feito no trabalho.

Foram realizadas 125 entrevistas, com um protocolo previamente estruturado, cuja elaboração baseou-se nas recomendações feitas por Lakatos e Marconi (2005). Segundo Creswell (2010), essa quantidade oferece uma amostra adequada para a elaboração de uma teoria fundamentada.

As entrevistas abrangeram empresários e executivos que tivessem uma prática pregressa ou presente da atividade esportiva e que ocupassem cargos de liderança e destaque nas suas organizações. Dos entrevistados, 48% eram empresários, proprietários de empresas de médio ou grande porte, e 52% eram executivos de médias e grandes empresas nacionais e multinacionais. Destes entrevistados, 61% tinham até 40 anos e, 39%, mais de 40 anos. As entrevistas foram gravadas com a ciência dos participantes, sendo que o material foi enriquecido com anotações feitas enquanto elas ocorriam.

Para validar os dados obtidos, seguiu-se a recomendação de Creswell (2010), com estratégias diversas adotadas a fim de tornar o conteúdo robusto. Dessa forma, os autores utilizaram triangulação das fontes de dados, verificação das anotações junto aos entrevistados, utilização de uma descrição densa dos resultados, esclarecimento do viés do pesquisador, compartilhamento das informações discrepantes ou negativas e revisão do conteúdo por pessoas independentes. Todos os dados (transcrições e gravações) foram armazenados eletronicamente para posterior consulta voltada à elaboração do trabalho. O tratamento dos resultados foi feito a partir da análise do conteúdo das entrevistas.

3. RESULTADOS

Durante suas entrevistas, os autores puderam observar que os executivos entrevistados descreviam determinadas competências de forma frequente. Na perspectiva dos entrevistados, nenhuma delas sozinha foi a razão do seu sucesso esportivo, da mesma forma como, ao transpô-las para sua vida profissional, nenhuma delas foi aplicada de forma isolada. Assim, segundo eles, as competências adquiridas no esporte – que serão descritas com mais detalhes a seguir – são interdependentes e relacionadas. A utilização das cinco competências encontradas na pesquisa contribuiu para o sucesso esportivo dos entrevistados, e eles reconhecem que a transposição dessas cinco competências para suas carreiras contribuiu, junto da sua formação acadêmica e experiência profissional, para o sucesso na superação dos desafios que enfrentaram.

E quais são essas competências? Atitude (que estabelece uma abordagem não conformista para a resolução de problemas), visão (que constrói uma visão inspiradora do que se pode atingir a partir dos seus esforços), estratégia (que elabora um plano de ação que permita atingir a visão), execução (que executa o plano de ação proposto com rigor e método) e *teamwork* (que se cerca de pessoas qualificadas que auxiliam na execução do plano de ação).

De acordo com Creswell (2010), uma forma de se apresentar uma teoria fundamentada é por meio de uma imagem que demonstre os principais pilares que compõem essa teoria. Os autores levaram essa sugestão em consideração, e essas competências foram estruturadas em uma imagem, a medalha do esportismo, que apresenta as cinco competências adquiríveis na prática esportiva que contribuem para o desempenho profissional (Figura 1).

Figura 1 – A medalha do esportismo.
Fonte: Castropil e Motta (2010).

A seguir, para compor essa teoria fundamentada, cada uma das competências mencionadas será descrita de acordo com a pesquisa realizada, bem como fundamentada com os depoimentos dos entrevistados.

3.1. Atitude (estabelece uma abordagem não conformista para a resolução de problemas)

A atitude é uma característica não conformista e que busca tirar o indivíduo da sua zona de conforto. Muitas vezes, é inata e aparece em pessoas que não praticaram esporte de forma competitiva; porém, segundo os respondentes, ainda que já pudessem apresentar essa característica, é certo que a prática esportiva a ressaltou e potencializou.

Desafios são enfrentados por esportistas todos os dias, como descreve um dos entrevistados, que, após um acidente durante a prática do judô, teve que passar por 12 cirurgias para retornar às competições. E, durante os cinco anos do seu processo de recuperação e reabilitação, o que o animou foi a possibilidade de voltar a participar das competições.

Outro dos entrevistados afirmou que, além dos esportes, sua grande referência profissional é Jorge Paulo Lehman, razão pela qual apresentou uma reportagem publicada na edição de janeiro/fevereiro de 2008 da revista *HSM* na qual Lehman – que, entre outros empreendimentos, construiu a gigante multinacional AB INBEV e foi tenista profissional – é descrito da seguinte maneira por José Salibi Neto (2008), executivo da revista:

> O que move Jorge Paulo é o gosto por competir. A mesma competitividade que o levou a costurar, com os sócios, a ousada fusão entre Brahma e Antarctica, e mais tarde entre Ambev e Interbrew. É a competitividade que o faz disputar nossos jogos de tênis às 06:30 da manhã como se estivesse em uma final de Roland Garros.

Essa competência existe em todos aqueles que praticam o esporte competitivo. Então, quando surge um desafio aparentemente intransponível no seu trabalho, o executivo ou empresário – também esportista – já tem experiência para enfrentá-lo, de forma a superar o obstáculo, tal como se verifica no esporte.

3.2. Visão (constrói uma visão inspiradora do que pode atingir a partir dos seus esforços)

Esportistas bem-sucedidos não só têm a atitude positiva e corajosa para enfrentar os desafios, como também sonham com metas ambiciosas, arrojadas. Um título mundial, uma medalha olímpica: muitos campeões começaram sua trajetória sonhando com realizações como essas. Um dos entrevistados lembrou um depoimento de Pelé na sua autobiografia: "Em 1958, finalmente, depois das amargas decepções de 1950 e 1954, éramos pela primeira vez os campeões do mundo. Era um sentimento indescritível, que eu queria muito poder sentir mais uma vez, ou mais duas" (ARANTES, 2006, p. 101).

Durante as entrevistas, os executivos e empresários demonstraram ter a competência de construir uma visão inspiradora do que podem atingir a partir dos seus esforços, seja para incentivar suas carreiras executivas, seja como o motor para impulsionar as empresas em que trabalham rumo a novas conquistas e patamares.

Um ponto relevante mencionado nas entrevistas é a necessidade de que a visão seja inspiradora o suficiente e de que aquele que a tem – empresário, esportista ou executivo – seja capaz de ignorar as condicionantes que podem fazê-lo se afastar da sua visão. Fatores como a falta de parceiros de treinos de alto nível (para esportistas), dificuldade de acesso ao crédito (para empresários) e não ter cursado um MBA em uma escola de primeira linha (para executivos) devem ser reconhecidos, mas não podem barrar o avanço e a perseguição dos objetivos que permitam a realização da sua visão.

Uma vez possuidor da visão – que pode ser adquirida durante a prática esportiva – e ignoradas as condicionantes limitadoras, o executivo terá um norte para suas ações e um fator de motivação para persistir no seu trabalho.

3.3. Estratégia (elabora um plano de ação que permita atingir a visão)

Uma vez estabelecida a visão, é necessário que o esportista tenha a capacidade de estruturar e organizar um plano de ação para se aproximar e atingir a visão. Essa competência de elaborar um plano de ação que permita atingi-la é facilmente associada à elaboração do plano de treinamento e competições preparatórias para o atleta, assim como ao estudo e planejamento para derrotar seus oponentes em um esporte individual ou coletivo. Mas a estratégia é algo ainda mais amplo e que pode até mesmo alterar o futuro de toda uma modalidade, como conta um dos entrevistados, atleta olímpico de judô durante a Olímpiada de Barcelona de 1992. Durante o chamado ciclo olímpico, a elite dos judocas brasileiros tomou uma decisão ousada e que poderia ter custos irreparáveis para o futuro profissional daqueles atletas. No entanto, a visão aliada à estratégia fez com que o país conquistasse o seu segundo ouro olímpico, desta vez com Rogério Sampaio na categoria meio-leve:

> "Em 1989, o judô brasileiro vivia sob a hegemonia da família Mamede. O que mais havia na modalidade eram mandos e desmandos. Não tínhamos nenhuma condição de treinamento. O banho era gelado, a comida é melhor nem dizer. Todo patrocínio que você conseguia (e era um sofrimento pra conseguir) exigia ficar com um percentual. Isso sem falar das seletivas para as competições, que não tinham regras claras, não obedeciam às normas da Federação Internacional de Judô. Não tinha placar, não tinha juiz, eram fechadas para público e imprensa... Em determinado momento, a equipe titular de atletas (o que o judô brasileiro tinha de melhor naquele momento), por não concordar com aquela situação, resolveu abandonar as competições oficiais. Criamos,

assim, o Movimento para a Renovação do Judô e passamos a apontar todos os podres, todas as mazelas do judô nacional. Voltamos a competir apenas em 1992, e nesse ano viria a segunda medalha de ouro olímpica do judô brasileiro, conquistada pelo Rogério Sampaio. E ele fazia parte do grupo, também não tinha disputado competições oficiais nos anos anteriores. E aquele grupo de atletas gerou um estremecimento tamanho na situação que vigorava no judô que, anos depois, a família Mamede deixaria a confederação – foi punida com o corte de verbas de todas as instâncias. E, de lá pra cá, o Brasil sempre conquista medalhas olímpicas na modalidade. Nós tivemos atitude, visão e estratégia. No fim, nosso objetivo tornou-se real. Hoje, o esporte colhe os frutos."

Nas empresas, assim como no esporte, empresários e executivos devem levar em consideração essa competência como relevante para o desenvolvimento da sua carreira e dos seus negócios. Se eles tiverem adquirido essa capacidade durante sua prática esportiva, já terão um diferencial que os destacará no mercado de trabalho.

Quem exemplifica isso é um dos participantes do estudo, que pratica futebol e é dono de uma agência de propaganda. Ele relata que, durante as competições futebolísticas, aprendeu a observar os pontos fortes e fracos de cada time e a desenvolver estratégias de acordo com esses pontos. Ao abrir sua agência, agiu da mesma forma: analisou os concorrentes no nicho em que pretendia atuar, desenvolveu seus diferenciais e serviços a partir das lacunas detectadas e obteve sucesso.

Outro entrevistado, diretor comercial de uma das maiores empresas varejistas do Brasil, relata sua experiência de utilização da estratégia nos esportes (no caso dele, o jiu-jítsu) e a transposição bem-sucedida dessa competência para seu ambiente profissional:

"Acredito que realmente fez e faz a diferença no meu dia a dia a habilidade que desenvolvi no jiu-jítsu de elaborar uma estratégia para conduzir o oponente a uma posição a partir da qual você possa tomar uma ação definitiva. Isso vale para vencer uma luta ou para fechar um grande negócio. Estudar, observar, para então perceber a hora exata em que o golpe ou ação deve ocorrer. Em jiu-jítsu, como em vendas, é fundamental possuir uma estratégia bem definida."

3.4. Execução (executa o plano de ação proposto com rigor e método)

Durante as entrevistas realizadas, os autores deste artigo perceberam que a execução do plano de ação, elaborado e proposto durante a concepção da estratégia, era "a hora da verdade" no esporte e também nos negócios. É quando o atleta coloca em prática tudo o que se propôs a fazer e conquista sua medalha, da mesma forma quando o empresário fecha aquele negócio que faz a diferença para o crescimento da sua empresa. A partir dos depoimentos obtidos, percebeu-se que três fatores combinados permitem a excelência na execução: o perfeccionismo, a disciplina e o autocontrole.

O perfeccionismo, essa obsessão pela perfeição transposta do esporte para os negócios, permite que empresas melhorem seus produtos, sua estrutura e sua gestão. Tudo pode e deve ser constantemente aprimorado. Foi assim que um entrevistado praticante do ciclismo, ao elaborar os alimentos e bebidas da sua empresa, não se conformou em fazer produtos similares aos dos líderes de mercado. Inspirado na sua busca incessante pela perfeição nas corridas de bicicleta, ele terminou por desenvolver produtos superiores que foram como tal reconhecidos pelos consumidores e obtiveram relevante participação de mercado em um prazo curto de tempo.

Quanto à disciplina, quem pratica esporte competitivo sabe, a partir de sua experiência, que precisará treinar cansado, com dor, de manhã, à tarde, à noite. Um dos respondentes, praticante de natação, relata que utilizou a disciplina para obter sucesso em um processo seletivo para a vaga de diretor a que estava concorrendo. Em um processo longo, que durou vários meses, ele estudou a empresa, seus potenciais candidatos rivais, preparou-se cuidadosamente para cada uma das entrevistas e acabou sendo selecionado para dirigir a empresa.

Finalmente, o último pilar da competência de executar o plano de ação com rigor e método é o autocontrole. Muitas vezes, a busca pelo perfeccionismo faz o atleta treinar cada vez mais, e isso pode gerar, por exemplo, lesões – o que, em vez de aproximá-lo da sua visão, irá afastá-lo. Então, a partir da sua experiência, ele adquire o autocontrole que o faz saber dosar a intensidade, o ritmo e os treinos para ter o melhor desempenho nas competições das quais se propõe a participar. Esse autocontrole pode ser útil não só para o desempenho profissional, mas também para que executivos e empresários, habituados a trabalhar por longas horas, consigam equilibrar sua vida pessoal e profissional e, assim, atinjam uma realização plena das suas atividades, como pode ser verificado no relato abaixo, de um diretor de empresa de serviços e praticante por muitos anos de esportes competitivos:

> "Se não fosse o esporte na minha vida, muito provavelmente já teria sucumbido a toda a pressão externa que a mídia e a sociedade de consumo atual colocam para que desde jovem sejamos afetados por algum tipo de droga, vício ou comportamento desvirtuado. Graças ao esporte, sou saudável, não bebo e nem fumo; minhas três filhas pequenas já adoram praticar esporte e estão aprendendo desde cedo que também poderão escolher ser saudáveis, profissionais felizes e realizadas."

3.5. *Teamwork* (cerca-se de pessoas qualificadas que auxiliam na execução do plano de ação)

A necessidade de trabalhar em equipe de forma eficiente é evidente em esportes coletivos, mas também é imprescindível nos esportes individuais. Para os atletas que buscam ter a melhor performance, é necessário, por exemplo, cercar-se de técnicos, nutricionistas e psicólogos, além de parceiros de treino competentes.

Fundamentados nos relatos obtidos a partir das entrevistas realizadas, os autores chegaram à conclusão de que são necessárias cinco etapas para que o *teamwork* ou trabalho em equipe aconteça no ambiente esportivo e profissional.

Unir-se aos melhores significa cercar-se da melhor equipe possível. Ao reconhecer a importância do resultado em uma competição ou do atingimento de uma meta de vendas na sua carreira, esportistas e executivos devem – e vão – buscar os melhores profissionais para que os ajudem a atingir seu objetivo. Um entrevistado, diretor comercial de uma indústria de bens de consumo e praticante de handebol, relata como buscar cercar-se dos melhores profissionais foi importante em sua carreira:

> "Eu tive uma atitude vencedora ao entender o valor fundamental de ter uma equipe altamente qualificada e permitir que cada um dos membros dessa equipe desenvolvesse seu potencial ao máximo. Tudo isso em prol do nosso objetivo conjunto. A engrenagem passou a funcionar bem melhor assim e trouxe os resultados que desejávamos. Essa forma de pensamento estratégico eu aprendi durante os 12 anos em que pratiquei handebol, um esporte coletivo no qual a performance da equipe é fundamental. Muito mais que o brilho individual."

Uma vez reunida uma equipe competente, cabe ao líder acompanhar e motivar o time rumo ao atingimento dos seus objetivos. Um dos entrevistados, proprietário de uma produtora e diretor de cinema, atribui sua capacidade de liderar e motivar as equipes que coordena à experiência de ter sido capitão de times de polo aquático. Ele faz a analogia com a direção de um filme, no trecho a seguir destacado da entrevista:

"Muitas vezes, fui capitão dos times de polo aquático, que atuam com sete atletas por vez. Nas disputas, sempre foi fundamental que eu conseguisse motivar a equipe. Esse era um fator fundamental para que obtivéssemos bons resultados. Hoje, como diretor de cinema, em um *set* de filmagem tenho de liderar e motivar todos o tempo inteiro. Sem dúvida, a experiência de liderar pessoas sob forte pressão emocional no período de competições me ajudou imensamente a encarar o desafio de dirigir com mais naturalidade."

Esse esforço de liderança, para ser mais efetivo, envolve a construção de uma visão comum. É quando aquela visão inspiradora do líder esportivo, empresarial ou executivo é compartilhada e inspira todos da equipe, que trabalharão em conjunto para o atingimento das metas estabelecidas. Isso leva tempo, é um processo de amadurecimento, que é a quarta etapa do desenvolvimento dessa competência. E esse amadurecimento levará a equipe a identificar novas oportunidades de melhoria, o que pode fazê-la buscar se aperfeiçoar cada vez mais, em um círculo virtuoso que aproximará o time dos seus objetivos.

Por último, os respondentes, sejam praticantes de modalidades individuais ou coletivas, concordaram que, para a formação de uma equipe bem-sucedida, há que se investir tempo na sua formação e aprimoramento, e que isso pode e deve ser feito com as equipes das empresas nas quais são líderes.

4. CONCLUSÕES

Uma vez que a prática da gestão por competências é algo já adotado pelas empresas brasileiras que buscam melhores gestão e resultado, é muito importante definir quais são as competências que devem ser utilizadas para a formação do quadro de executivos da empresa e que serão desenvolvidas pelos gestores das áreas e pelo departamento de recursos humanos. Ter equipes com as competências certas é ainda mais necessário nesse momento, em que há um cenário econômico adverso e uma modificação do perfil e do hábito dos consumidores, aliados a um aumento da competitividade na maior parte dos setores econômicos.

Este trabalho, um estudo qualitativo de teoria fundamentada em que foram entrevistados 125 empresários e executivos em posição de liderança com experiência esportiva, demonstrou que existem competências adquiridas a partir da prática de esportes que podem ser úteis para o desempenho profissional de executivos e empresários. O conjunto dessas é o que compõe o esportismo: atitude, visão, estratégia, execução e *teamwork*. Se essas competências forem analisadas a partir da perspectiva do CHA, podem ser identificadas principalmente com as habilidades (visão, estratégia, execução e *teamwork*) e com as atitudes (atitude).

Por se tratar de um estudo qualitativo que propôs uma teoria fundamentada para agregar uma contribuição teórica ao que já foi desenvolvido no âmbito da gestão por competências, espera-se que este artigo sirva de ponto de partida para investigações mais específicas e conclusivas sobre o tema. Essas investigações podem não só detalhar ainda mais as competências adquiridas no esporte que contribuem para um melhor desempenho profissional, como podem também propor como melhor utilizá-las para a realização de todas as atividades envolvidas em um plano de trabalho integrado para a efetiva gestão por competências: a contratação de talentos, a avaliação do desempenho do profissional, treinar através de programas estruturados de forma a capacitar a equipe, servir como plataforma para programas de remuneração e reconhecimento e como subsídio para a orientação profissional.

Espera-se que este trabalho seja relevante para acadêmicos que estudam a área de recursos humanos e que queiram se aprofundar e buscar alternativas para aprimorar o modelo de gestão por competências. Com o desenvolvimento desta discussão e novos estudos – quantitativos, inclusive – sobre as competências que compõem o esportismo, este material pode ser útil para empresários e executivos interessados em aprimorar suas equipes de trabalho com a aquisição e o desenvolvimento dessas competências por suas equipes.

REFERÊNCIAS

ANDRADE, B. R. de R. **Transformando suor em ouro**. Rio de Janeiro: Sextante, 2006.

ARANTES, E. **Pelé, a autobiografia**. Rio de Janeiro: Sextante, 2006.

BELFORT, V. **Lições de garra, fé e sucesso**. Rio de Janeiro: Thomas Nelson Brasil, 2012.

BOYATZIS, R. E. **The competent management**: a model for effective performance. Nova York: John Wesley, 1982.

CALLIARI, M.; MOTTA. A. **Código Y**: decifrando a geração que está mudando o Brasil. São Paulo: Évora, 2012.

CARBONE, P. P.; BRANDÃO, H. P.; LEITE, J. B. D.; VILHENA, R. M. de P. **Gestão por competências e gestão do conhecimento**. 3. ed. Rio de Janeiro: FGV, 2009.

CASTROPIL, W.; MOTTA, R. G. **Esportismo**: valores do esporte para a alta performance pessoal e profissional. São Paulo: Gente, 2010.

CRESWELL, J. **Projeto de pesquisa**: método qualitativo, quantitativo e misto. Porto Alegre: Artmed, 2010.

CRESWELL, J. **Investigação qualitativa e projeto de pesquisa**: escolhendo entre cinco abordagens. Porto Alegre: Pensa, 2013.

DINIZ, A. **Caminhos e escolhas**: o equilíbrio para uma vida mais feliz. São Paulo: Elzevir, 2004.

DUNGY, T.; WHITAKER, N. **Fora do comum**: lições de integridade, ética e coragem de um dos maiores treinadores de futebol americano. Rio de Janeiro: Sextante, 2011.

DURAND, T. L'alchimie de la compétence. **Revue Française de Gestion**, Paris, n. 127, p. 84-102, jan./fev. 2000.

DUTRA, J. S. **Competências**: conceitos e instrumentos para a gestão de pessoas na empresa moderna. São Paulo: Atlas, 2004.

FLEURY, A.; FLEURY, M. T. L. **Estratégias empresariais e formação de competências**: um quebra-cabeça caleidoscópico da indústria brasileira. São Paulo: Atlas, 2001.

FOREMAN, G. **Sem nunca jogar a toalha**: uma história de sucesso, boxe e espiritualidade. Rio de Janeiro: Thomas Nelson Brasil, 2007.

GODOI, A; LAS CASAS, A.; MOTTA, A. A utilização do Facebook como ferramenta de marketing para construir relacionamento com o consumidor: um estudo de *fan pages* no Brasil. **Business and Management Review,** Londres, v. 5 n. 1, p. 97-112, jun. 2015.

JAMISON, S.; WOODEN, J. **Jogando para vencer**: a filosofia de sucesso do maior técnico de basquete de todos os tempos. Rio de Janeiro: Sextante, 2011.

JORDAN, M. **Mi filosofia del triunfo**. Cidade do México: Selector, 2000.

LAKATOS, E. M.; MARCONI, M. de A. **Fundamentos de metodologia científica**. São Paulo: Atlas, 2005.

MOTTA, R. G.; SANTOS, N.; SERRALVO, F. *Trade marketing*: teoria e prática para gerenciar os canais de distribuição. São Paulo: Campus, 2008.

NETO, J. S. O legado da competitividade. **Revista HSM Management,** São Paulo, jan./fev. 2008.

PORTER, M. **Vantagem competitiva**. Rio de Janeiro: Campus-Elsevier, 1989.

PULIZZI, J. **Epic content marketing**: how to tell a different story, break through clutter, and win more customers by marketing less. Nova York: McGraw Hill, 2014.

CAPÍTULO 4

TEORIA DO ESPORTISMO E AS ECONOMÍADAS: EVENTO DE FESTA E ESPORTE UNIVERSITÁRIO EM SÃO PAULO[7]

Rodrigo Guimarães Motta
Maria Amelia Jundurian Corá

RESUMO

Este estudo qualitativo, realizado por meio de observação participante e documentado através de entrevistas, filmes e fotografias, demonstra como os alunos de Economia e Administração da FGV EAESP de São Paulo exerceram as cinco competências da teoria do esportismo (atitude, visão, estratégia, execução e trabalho em equipe), aprendidas durante o intervalo de tempo que compreende a concepção, a preparação e a execução de um evento, as Economíadas de 2017. Tal evento, que combina festa universitária com diversas competições esportivas, é realizado pelo próprio corpo discente da escola em conjunto com os estudantes das demais instituições participantes. Neste estudo, é apresentado como, em todas as etapas da implementação do evento festivo, os alunos da FGV

---

7. Originalmente publicado na **Revista Pensamento & Realidade**, v. 34, n. 1, p. 94-110, jan./mar. 2019.

EAESP exerceram, intuitivamente, cada uma das competências integrantes da teoria do esportismo. Além de se constituírem atualmente como característica basilar desse tipo de evento, o estudo demonstra como a utilização dessas competências contribuiu para a obtenção do inédito título de campeã geral das Economíadas.

Palavras-chave: Aprendizagem na prática. Esportismo. Festa universitária.

1. INTRODUÇÃO

A vida universitária é uma fase marcada pela intensidade, seja pelos conhecimentos técnicos adquiridos, seja pelas novas relações sociais estabelecidas, seja pelas vivências acumuladas no próprio ambiente acadêmico e ao longo das festas que ele promove, bem como pelas vivências acumuladas nos espaços de trabalho. De modo geral, as pessoas que passam pela vida universitária acumulam experiências que influenciam diretamente nas suas decisões e nos seus caminhos profissionais; daí a importância de pesquisar e compreender esse lócus social, principalmente na vida dos jovens.

Nesse sentido, o que se observa é que o olhar das pesquisas acadêmicas sobre as festas universitárias está muitas vezes focado nos usos e resultados sociais da festa em si (GOMÉZ; PAMPOLS, 2000; MUSSE, 2008), e não no processo da festa como organização e gestão. Disso decorre a ausência de visões que permitam uma reflexão da sua importância como espaço de desenvolvimento de competências que podem ser complementares ao que se aprende na sala de aula.

A aquisição dessas competências faz parte de uma aprendizagem baseada na prática (NICOLINI; GHERARDI; YANOW, 2003), sendo essas competências granjeadas de forma intuitiva a partir da prática esportiva competitiva e, posteriormente, aplicadas aos negócios geridos pelos que delas se apropriam. Souza-Silva e Davel (2007) destacam que essas aprendizagens vividas na prática, na qual os participantes interagem, contribuem positivamente para a formação dos indivíduos.

A teoria do esportismo propõe que cinco competências sejam apreendidas durante a vivência esportiva. Tais competências – atitude, visão, estratégia, execução e trabalho em equipe – são úteis não apenas na prática esportiva competitiva, mas também para o atingimento dos resultados profissionais daqueles que delas se apropriam, sejam estes empresários, sejam executivos que lideram organizações (CASTROPIL; MOTTA, 2010).

Este artigo se propõe a entender como, por meio das atividades realizadas no decorrer da organização e da participação nas Economíadas, as competências desenvolvidas a partir do esportismo pelos estudantes de Administração complementam suas atividades acadêmicas e como sua aplicação pode oferecer aprendizado relevante para os alunos.

Como objeto de estudo, portanto, a investigação se detém em uma festa universitária organizada pelos estudantes de Administração de São Paulo, intitulada "Economíadas", que acontece por uma semana, desde o ano de 1991. Essa festa foi aqui escolhida porque, além das suas características festivas, também oferece aos estudantes de Administração uma vivência esportiva, na qual a aprendizagem na prática, embasada na teoria do esportismo, pode ser mais bem estudada.

Como atividade sociocultural que reitera a vida em sociedade, promovendo momentos de celebração entre aqueles que delas participam, as festas – se consideradas como possíveis espaços de aprendizagem – constituem-se em um tema amplo e ainda pouco pesquisado dentro da área de Administração, mas que a esta interessa sobretudo pelo caráter prático e processual embutido na sua organização e realização (BISPO, 2013, 2015; RAELIN, 2007; SANTOS; SILVEIRA, 2015).

Quando se trata de festas universitárias, as pesquisas desenvolvidas até o momento são praticamente inexistentes. Musse (2008) e Goméz e Pampols (2000) destacam que o ambiente universitário, por si só festivo, incentiva a realização das diversas festas que ocorrem ao longo da vida universitária, proporcionando um tipo de vivência que pode ser aproveitada também com outras finalidades educativas.

As Economíadas, especificamente, têm um caráter particular porque combinam festas universitárias e competições esportivas, contando com a participação de oito faculdades de Economia e Administração que disputam títulos em diversas modalidades, além do ambicionado título geral do evento. Dessa forma, é necessário entender com mais profundidade a história das Economíadas para que seja possível estudar essa festa de maneira apropriada.

Durante uma semana no ano, os estudantes (atletas, organizadores e aqueles que são apenas espectadores) de cada uma das oito faculdades do estado de São Paulo se reúnem em uma cidade do interior do próprio estado e participam das competições e das festas. Por isso, as Economíadas, tanto no que se refere às festas quanto no que diz respeito às competições, são uma atividade marcante para a trajetória e para a formação universitária dos discentes. Por serem uma festa cuja motivação é a participação em jogos esportivos estudantis, as Economíadas oferecem a oportunidade de atuação em uma competição esportiva, na qual são utilizadas na prática as competências do esportismo – o que se aplica tanto em relação aos participantes e organizadores da competição esportista quanto em relação aos participantes e organizadores das festas que compõem o evento, dada essa interface da qual se constitui esse evento.

Sendo assim, parte-se da premissa de que a aprendizagem baseada na prática das competências da teoria do esportismo, que emerge nas Economíadas, oferece um espaço complementar de aprendizagem não formal às disciplinas acadêmicas ministradas pelas faculdades.

Na fundamentação teórica, são apresentados os conceitos da aprendizagem baseada na prática e no desenvolvimento de competências a partir da teoria do esportismo, além da descrição da história das Economíadas. Em seguida, são fornecidas mais informações sobre o método utilizado para a realização da pesquisa e analisados os resultados obtidos pelos pesquisadores. Finalmente, expõem-se as considerações sobre o estudo e se apresentam as referências utilizadas para a elaboração do trabalho.

Espera-se que esta pesquisa possa contribuir para o campo de estudos organizacionais, dada a pouca incidência de estudos voltados à festa como organização e, sobretudo, pelo esforço realizado em aproximar as teorias de aprendizagem baseada na prática e o desenvolvimento de competências sob a lente da teoria do esportismo no lócus da festa.

2. APRENDIZAGEM BASEADA NA PRÁTICA

A necessidade de aprendizagem nas organizações é um tema consolidado na academia, com inúmeros esforços empreendidos para capacitar gestores, empresários e executivos a fim de que possam obter um desempenho profissional superior. Esses esforços, deve-se destacar, são pautados por uma abordagem utilitarista, que nem sempre contempla a contribuição de outras áreas ou formas de aprendizado, como registram Durante *et al.* (2019). A aprendizagem baseada na prática complementa os espaços formais de aprendizagem, visto que "[...] têm o espaço social como lócus para os processos de aprendizagem e a geração de conhecimento e utilizam as práticas para compreender os fenômenos sociais e organizacionais" (DURANTE *et al.*, 2019, p. 3).

Para tornar mais explícita essa definição, pode-se dizer que a aprendizagem baseada na prática – campo de estudo em expansão – propõe que, (i) para além do aprendizado formal adquirido por iniciativas organizacionais, liderado por empresas que têm como público-alvo seus colaboradores, (ii) para além do estudo de diferentes disciplinas na escola e, posteriormente, (iii) para além dos cursos de graduação e pós-graduação nos quais se busca viabilizar o aprofundamento do conhecimento que se tem em vista, é a própria prática de determinadas atividades que permite que as pessoas, por meio da sua vivência, efetivamente se apropriem da aprendizagem (BEZERRA; DAVEL, 2017).

Enquanto o aprendizado obtido por meio das empresas e das faculdades tem como objetivo explícito a melhora do desempenho individual e coletivo para atender e superar as expectativas do negócio ao qual o empresário ou o executivo se dedica ou irá se dedicar, a aprendizagem na prática permite que esse mesmo desempenho seja obtido por meio do aprendizado realizado de forma mais intuitiva, mediante vivências pessoais e coletivas que ocorrem paulatinamente.

A aprendizagem baseada na prática é, portanto, não apenas situada, isto é, não apenas adquirida em determinada situação (por exemplo, na organização de uma festa estudantil, como é o caso das Economíadas): ela é também contextualizada, uma vez que é vivenciada e apreendida em determinado contexto por aqueles que dela participam (GHERARDI, 2014). Novamente, como é o caso do contexto deste estudo, isso acontece na realização das Economíadas, tradicional festa universitária realizada anualmente no estado de São Paulo.

Souza-Silva e Davel (2007) pontuam que essa aprendizagem pode ser obtida por meio de duas formas distintas e muitas vezes complementares. Uma delas ocorre por meio de um ciclo simples, que é um processo de aprendizagem instrumental em que não são alteradas as normas e os valores organizacionais, mas no qual os participantes o utilizam para atingir e superar os objetivos propostos. Na outra, a aprendizagem ocorre em ciclo duplo, criticando a teoria e, consequentemente, os métodos e processos que estão sendo utilizados para o atingimento dos objetivos, podendo, assim, oferecer uma nova proposta de possíveis atividades e normas a serem utilizadas por parte dos agentes que vivenciam determinada experiência.

Observou-se que há diversas maneiras de uma aprendizagem baseada na prática acontecer. Sem a pretensão de esgotar todas as possibilidades, uma dessas formas é através do aprender fazendo oferecido pela teoria do esportismo, na qual um conjunto de competências é adquirido por intermédio da prática esportiva e intuitivamente. Essas competências são utilizadas não apenas no desempenho esportivo, como também na administração e na gestão de atividades, a exemplo de uma festa.

3. TEORIA DO ESPORTISMO

A teoria do esportismo está alinhada à compreensão de competências, que permitem aos trabalhadores que eles obtenham desempenho superior na realização das suas atividades, à medida que vão desenvolvendo as competências necessárias – o que, por consequência, contribui para que a própria organização atinja suas metas, ao mesmo tempo que mantém seus colaboradores motivados por atuarem com resultados perceptíveis (DURAND, 2000). É necessário que as competências atendam às expectativas das organizações, levando-se em consideração o cenário de muitas mudanças pelas quais o mercado passa no momento (GODOI; LAS CASAS; MOTTA, 2015; CALLIARI; MOTTA, 2012) e, em decorrência disso, o aumento de competitividade e incerteza.

As competências podem ser adquiridas formalmente através de cursos de extensão, graduação ou pós-graduação, além de serem consideradas para contratação, treinamento e gestão de carreiras dos executivos (FLEURY; FLEURY, 2001; PAIVA; MELO, 2008). Sem pretender esgotar o tema de competências, outra forma de adquiri-las não passa por um caminho formal, mas, sim, por uma aprendizagem baseada na prática, na qual os agentes, após interagirem, percebem sua própria vivência, a importância de determinadas competências para a adequada realização das tarefas às quais se propõem, passando, assim, a utilizá-las no seu dia a dia.

Em estudo realizado com 125 empresários e executivos que praticaram atividades esportivas durante sua formação escolar – universitária, inclusive –, chegou-se a cinco competências que, uma vez adquiridas no esporte – ou seja, através da aprendizagem baseada na prática, e não da aprendizagem oriunda de disciplinas ministradas em salas de aula –, contribuíram para seu desenvolvimento profissional (CASTROPIL; MOTTA, 2010). Essas competências constituem a base da teoria do esportismo (Quadro 1).

Quadro 1 – Teoria do esportismo e competências.

Competência	Características
Atitude	Estabelecer uma abordagem não conformista para a resolução de problemas.
Visão	Construir uma visão inspiradora do que se pode atingir a partir do próprio esforço.
Estratégia	Elaborar um plano de ação que permita atingir a visão.
Execução	Executar o plano de ação proposto com rigor e método.
Trabalho em equipe	Cercar-se de pessoas qualificadas que auxiliem na execução do plano de ação.

Fonte: Castropil e Motta (2010).

Castropil e Motta (2010) apresentaram graficamente as cinco competências da teoria do esportismo na medalha do esportismo (Figura 1). Por estarem relacionadas entre si e por serem todas necessárias para o atingimento do objetivo, as competências fazem parte de um mesmo todo (na ilustração, representado pela medalha). A própria medalha foi utilizada para representar a prática esportiva, na qual as competências são adquiridas.

Em levantamento realizado, foi observado que, se por um lado as competências da teoria do esportismo foram adquiridas principalmente a partir da práti-

Figura 1 – Medalha do esportismo.
Fonte: Castropil e Motta (2010).

ca esportiva competitiva, de outro, a sua utilização foi feita: (i) por empresários e executivos para que, no seu trabalho, atingissem e superassem as metas organizacionais (CASTROPIL; MOTTA, 2010; MOTTA; SANTOS; CASTROPIL, 2017); (ii) por atletas paralímpicos, que buscavam se organizar e treinar a fim de obter um desempenho superior em competições das quais se propunham a participar (ARCANJO; CEZÁRIO, 2015; MOTTA; CEZÁRIO; CASTROPIL, 2017); e (iii) por atletas olímpicos, a fim de se prepararem para competições, momento esportivo no qual, mais do que em qualquer outro, as competências se demonstraram necessárias (CASTROPIL; MOTTA; SANTOS, 2017).

A partir da teoria do esportismo, foi possível observar o aprendizado baseado na prática, assim como a utilização intuitiva tanto do ciclo simples quanto do ciclo duplo desta, por parte daqueles que adquiriam as competências para melhorar o desempenho das suas atividades administrativas em diferentes contextos. Dessa forma, é possível concluir que uma das alternativas para que a aprendizagem na prática aconteça é através da teoria do esportismo, na qual a referida aprendizagem se dá durante a prática esportiva.

A seguir, será apresentada a festa selecionada para estudar como a teoria do esportismo (e, por consequência, a aprendizagem baseada na prática) é vivenciada pelo estudante de Administração: as Economíadas.

4. ECONOMÍADAS NA PERSPECTIVA DOS ALUNOS DA FUNDAÇÃO GETULIO VARGAS

As características do esporte universitário brasileiro são muito particulares. Ao se falar do esporte universitário, pode-se observar que algumas universidades contratam atletas de alto rendimento que, mediante a obtenção de bolsas de estudo e algum tipo de remuneração, participam de eventos nacionais e internacionais, representando as universidades que os contratam, o estado do qual a universidade faz parte e, por vezes, o próprio país. No entanto, muitos universitários, cujo principal objetivo é ingressar no mercado de trabalho, também praticam esportes sem, todavia, ter a pretensão de ser atletas de alto rendimento.

Dessa forma, conforme Santos (2015), no estado de São Paulo, alunos de algumas das principais universidades começaram a organizar suas equipes para, nessa sua vivência universitária, poder participar de competições esportivas de forma gratificante. Originalmente, eles se organizaram em diretorias de esportes dos centros acadêmicos de cada faculdade, até que, em determinado momento, passaram a constituir uma entidade independente, que lhes permitisse não só a participação nos eventos oficiais, como também a sua realização com o mínimo respaldo legal e organizacional. Surgiram, assim, as associações atléticas acadêmicas.

Essas associações, então, começaram a realizar grandes eventos anuais, nos quais uma faculdade desafiava a outra e, durante uma semana do ano, competiam entre si em diversas modalidades. Diferentemente dos eventos oficiais, em que a pressão por resultados é maior, os alunos também aproveitavam essa semana para confraternizar entre si, em festas universitárias. À medida que esses eventos ganharam relevância dentro das instituições, passaram a abranger um número maior de faculdades, surgindo os eventos temáticos, que uniam um número maior de associações atléticas, chegando a até oito associações competindo e celebrando. Exemplos de eventos dessa natureza são os Jogos Jurídicos, as Engenharíadas e outros mais que acontecem todos os anos.

As faculdades de Administração seguiram uma trajetória parecida. A Escola de Administração de Empresas de São Paulo da Fundação Getulio Vargas, FGV EAESP, teve, até 1986, as atividades esportivas subordinadas ao diretório acadêmico. Em 1987, Eduardo Quilici fundou a Associação Atlética Acadêmica Getulio Vargas (AAAGV). Durante dois anos, a entidade se estruturou, como relatado pelo seu segundo presidente, o hoje empresário Rodrigo Coube:

"Quando entrei na GV, em [19]86, a Atlética e o esporte estavam voltando a se organizar. Houve um campeonato interno de futsal (meu time de calouros ganhou da equipe que era sempre campeã), e logo decidimos fazer, no segundo semestre, um interno de futebol de campo no saudoso Marítimo (Parque do Povo, hoje). Junto com essas pessoas e a ajuda do já então experiente Edu Quilici, refundamos a AAAGV, e dá para imaginar que não foi fácil estruturar times, uniformes e obter recursos para participar ao menos dos torneios da Fupe. Foi praticamente uma *startup*, que está firme e forte até hoje!"

Passada essa fase pioneira de estruturação da entidade, em 1989, sob a presidência de Rodrigo Guimarães Motta, aconteceu o GV x FEA, no qual os atletas da AAAGV competiram em diversas modalidades contra os atletas da Faculdade de Economia e Administração da Universidade de São Paulo (FEA-USP). Nesse confronto, a AAAGV venceu por 14 x 13 (foram 27 modalidades) após três dias de competições, integralmente organizadas pelos estudantes, esportistas e entusiastas do que estava acontecendo. Como explicou Daniel Pinsky, um dos diretores à época:

"Assumir a Atlética, junto com meu grande amigo Rodrigo Motta, foi um dos meus primeiros desafios profissionais. Do alto dos meus 19 anos, assumi a diretoria financeira de uma atlética recém-fundada e já quebrada... Colocamos as finanças em ordem, catalogamos nossos ativos, passamos a controlar tudo. Dessa maneira, fomos melhorando nos esportes e nos preparando para o que seria o grande desafio: vencer a FEA-USP na volta das competições que empolgariam as duas faculdades: GV x FEA."

Nesse mesmo ano, a GV enfrentou a Faculdade de Economia e Administração do Mackenzie, em um evento com características semelhantes. Foi também em 1989 que a AAAGV idealizou seu ícone, presente até os dias atuais, o jacaré. Atualmente, todas as associações atléticas de Economia e Administração têm o seu próprio ícone. Tendo trazido uma clara inspiração nas entidades esportivas nacionais e internacionais (americanas, em especial), o primeiro desenhista do jacaré, Fabio Meneghini – que depois se tornou alto executivo de agências de publicidade e propaganda e fundou uma das mais inovadoras e bem-sucedidas empresas de alimentos nacionais –, confessa: "Éramos jovens e inconsequentes, não queríamos saber de nada a não ser de aproveitar aquilo tudo. Eu, fora o fato do jacaré estar nas mídias da época, não faço a menor ideia de por que escolhi o animal para ser a mascote da AAAGV".

Após dois anos de competições entre faculdades, em 1991, as faculdades de Economia e Administração, seguindo o exemplo de outras, como as de Direito e as de Engenharia, decidiram se unir e realizar um evento ainda mais especial. Surgiu nesse momento a LAACE (Liga das Associações Atléticas de Ciências Econômicas) ou LAAACE (Liga das Associações Atléticas Acadêmicas de Ciências Econômicas), como viria a ser renomeada posteriormente, que organizou a I Economíadas, que aconteceu durante uma semana na cidade de Bauru. Todos os dias, além das competições esportivas, ocorreram também festas realizadas por e para os estudantes que compareceram ao evento.

Com o tempo, as Economíadas cresceram, e as atléticas passaram a contratar empresas especializadas para auxiliar na organização do evento. A primeira delas foi a Na Mosca, fundada pelo ex-diretor de polo aquático da GV, Alfredo Guimarães Motta, e pelo fundador da atlética, Eduardo Quilici. A Na Mosca propôs e apoiou a elaboração das primeiras tendas universitárias, nas quais os integrantes de determinada atlética se reuniam para confraternização antes, durante e após o jogo. Com o crescimento do evento, outras empresas passaram a contribuir com sua realização, propondo outras ferramentas para tornar o evento ainda mais atraente.

Na atualidade, as Economíadas continuam acontecendo anualmente, em uma cidade do interior do estado de São Paulo, onde os estudantes competem e confraternizam, em um evento totalmente idealizado e organizado por eles, ainda que com o apoio de empresas especializadas, contratadas pela liga e pelas atléticas.

Os eventos acontecem sempre com pelo menos três mil alunos das oito faculdades participantes (FEA-PUC-SP, FEA-USP, FGV EAESP, FECAP, ESPM, Insper, Mackenzie e PUC-Campinas), sejam eles atletas ou estudantes que desejam torcer e participar das confraternizações festivas que acontecem no período, além de estimados dois mil participantes que são moradores da cidade-sede.

Atualmente, as Economíadas giram em torno das competições nas modalidades oficiais: basquete, futsal, handebol, vôlei, tênis de campo, natação, tênis de mesa, futebol de campo, rúgbi, judô, jiu-jítsu masculino e xadrez. Entre as partidas demonstrativas (não oficiais) inclui-se, por exemplo, o rúgbi feminino, cujos resultados não são contabilizados na tabela geral de pontuação das Economíadas, mas que no futuro se espera acrescentar aos jogos como uma nova modalidade.

Todas as faculdades devem ter seus times formados para competir em todas as modalidades, sendo, inclusive, penalizadas financeiramente em caso contrário.

5. METODOLOGIA DE PESQUISA

Foi realizada uma pesquisa qualitativa, que busca descrever a cultura de um determinado grupo (CRESWELL, 2010). A observação de campo se deu durante as Economíadas de 2017 na cidade de São Carlos.

Para tanto, um dos autores deste artigo, ex-presidente da AAAGV e, portanto, autorizado pelo estatuto da LAAACE a competir nas Economíadas, mesmo já tendo concluído o curso, esteve presente em São Carlos para competir e também atuou como observador participante, filmando e fotografando o evento, bem como realizando entrevistas com dirigentes e atletas da entidade, além de entrevistas com alunos que estavam lá com o objetivo de confraternizar.

Foram realizadas 103 entrevistas, além de o observador ter participado de uma competição esportiva (judô) e de festas durante os dias do evento, tomando nota dos pontos relevantes para este estudo. A todos os entrevistados foi assegurado o anonimato. As entrevistas foram transcritas, e o material coletado foi categorizado a partir das competências da teoria do esportismo, que puderam ser observadas em diferentes relatos.

O material coletado foi analisado com o objetivo de mapear em quais momentos a teoria do esportismo pôde ser encontrada na vivência dos participantes da AAAGV nas Economíadas, isto é, em qual momento foi demonstrada a utilização na prática de pelo menos uma das cinco competências estudadas: atitude, visão, estratégia, execução e trabalho em equipe. Os resultados foram então analisados com depoimentos e imagens obtidos durante o evento.

Finalmente, buscou-se observar como a aprendizagem baseada na prática de cada competência da teoria do esportismo ocorreu: através do ciclo simples ou do ciclo duplo da aprendizagem baseada na prática, dessa forma efetivamente considerando a teoria do esportismo como um desdobramento da aprendizagem baseada na prática que sucede quando da prática de esportes. No caso de estudantes de Administração que são os responsáveis por não apenas competir, como também por organizar e gerir as Economíadas, a teoria do esportismo pôde ser observada no esporte em si e nas atividades administrativas necessárias para a realização da festa.

A seguir, será apresentada a análise dos resultados. O pesquisador, através das perguntas efetuadas e da observação das festas e competições ao longo do evento, buscou entender como a atitude, a visão, a estratégia e a execução, competências da teoria do esportismo, eram vivenciadas e apreendidas pelos participantes do evento, que poderiam utilizar ambas as formas de aprendizagem baseada na prática, o circuito simples e o circuito duplo, para aplicá-las.

6. ANÁLISE DOS RESULTADOS

Para analisar os dados coletados, foram utilizadas as cinco competências da teoria do esportismo de forma a identificá-las na vivência prática dos alunos da FGV EAESP durante as Economíadas de 2017. Foi observado em diversas ocasiões que os participantes da festa, especificamente os integrantes da AAAGV, tiveram a oportunidade de aplicar, na prática, as competências do esportismo, obtendo resultados satisfatórios.

A seguir, cada uma das competências será analisada com mais profundidade, demonstrando como puderam ser aprendidas pelos entrevistados e pelos demais alunos participantes das Economíadas.

6.1. Atitude

Como foi evidenciado durante todos os dias do evento, esta é uma competência que é possível exercer na prática, tanto nas festas quanto na participação das competições. A atitude não só foi fomentada ao longo de todo o ano – por meio de eventos como palestras motivacionais, para que os estudantes fossem e se entregassem ao máximo nas Economíadas –, como também os integrantes da AAAGV, entusiasmados com a história do evento e a competitividade entre as atléticas, participaram de tudo com a máxima intensidade e dedicação. A atitude de todos demonstrava não apenas a procura pela realização das maiores e melhores festas por parte da GV, como também a obtenção do título inédito de campeão geral das Economíadas.

A atitude é uma competência ausente dos estudos acadêmicos que formam a grade curricular padrão dos cursos de Administração, por ser impossível entendê-la de forma apenas teórica; logo, a participação nas Economíadas permite que os alunos tenham um aprendizado único nesse sentido, obtido a partir da prática efetiva da atitude nas suas atividades festivas e esportivas.

A própria existência da bateria e o esforço conjunto de todos os participantes para que ela fosse algo relevante no evento demonstra que essa competência é desenvolvida a partir de uma aprendizagem na prática de ciclo duplo, pois, apesar de não contar pontos para o resultado do evento e sua presença não fazer parte do estatuto da AAAGV nem da LAAACE, os alunos, tomando como base sua própria vivência, decidiram promover suas atividades e utilizá-la como ferramenta motivacional. Conforme relatou um dos integrantes da bateria da AAAGV, que é formada por um conjunto de estudantes que acompanha os jogos, incentivando a equipe com músicas famosas e próprias da faculdade:

> "Nós nos dedicamos durante todo o ano para que 2017 fosse uma experiência única para os alunos. Ensaiamos, participamos de eventos menores, preparamos os melhores trajes para que tudo estivesse perfeito. Conseguimos atingir o nosso objetivo, atuamos em todos os dias e a plateia ficou superempolgada. Não queríamos apenas ser uma bateria, mas ser a melhor bateria. É esse espírito que os alunos da GV têm – de não ser mais um, de fazer a diferença – que praticamos nas Economíadas e levamos pra toda a vida."

Essa mesma atitude pôde ser observada pela dedicação dos atletas da AAAGV antes e durante a competição. Mesmo tendo sido de fato e de direito a idealizadora das Economíadas, a AAAGV, conforme mencionado anteriormente, nunca havia vencido uma competição. E, em 2017, como pode ser depreendido pelo depoimento a seguir, feito por um dos dirigentes da instituição, essa atitude pautou todo o evento: perseguir e superar o objetivo estabelecido. Os organizadores e participantes da Atlética estavam comprometidos em realizar todas as atividades com excelência.

"Os alunos esperam todo o ano pelas Economíadas. É evidente que muitos deles participam com o objetivo de festejar, e fazemos há muito tempo as melhores festas do evento. Mas, neste ano, além de grandes festas, nosso objetivo também era ter uma grande participação. Então, nos esforçamos para que festas e competições fossem simplesmente perfeitas. Para todos aqueles que participaram das Economíadas, em 2017, essa atitude, por parte da Atlética, ficou evidente."

A atitude vivenciada pelos alunos da GV se caracterizou pelo ciclo duplo da aprendizagem baseada na prática, visto ser algo não normatizado formalmente, e sim apreendido a partir da vivência prática e pregressa dos alunos organizadores e participantes em eventos anteriores, que serviu de referência para sua dedicação ao evento (o curso de graduação dura em média quatro anos). Para que essa atitude pudesse emergir com intensidade, ela foi potencializada a partir da visão, que será descrita a seguir.

6.2. Visão

Durante a preparação para as Economíadas de 2017, a competência visão foi exercida por todos da AAAGV – dirigentes e demais alunos – de forma explícita e espontânea. Nos últimos anos, as festas estavam muito bem organizadas e marcaram a trajetória dos estudantes de forma inequívoca; todavia, além disso e conforme já explicitado, a Atlética e seus integrantes almejavam conquistar o título inédito de campeã geral do evento, o que nunca havia ocorrido desde a primeira edição em 1991.

Para tornar a visão ainda mais inspiradora e contagiante a todos aqueles que estariam participando da edição de 2017 do evento, além das palestras e dos eventos motivacionais que acontecem em todas as Economíadas, com a presença dos atletas e integrantes da bateria, bem como além das festas que preparam todos para o evento, os atuais dirigentes, pela primeira vez na história da AAAGV, realizaram um dia com palestras de atletas e dirigentes já formados, que relataram suas práticas de sucesso e o quão importante foi para sua formação profissional a participação bem-sucedida nas Economíadas. Pelo ineditismo da iniciativa, essa competência foi demonstrada a partir desse exemplo com o aprendizado prático de ciclo duplo, no qual os dirigentes buscaram realizar algo inédito e contagiante para os integrantes da AAAGV. Segundo o relato de um dos participantes:

> "Este evento foi muito importante. Os atletas nos contaram o quão emocionante foi ter participado das Economíadas e quais aprendizados obtiveram de suas vitórias e também das suas derrotas. Foi muito inspirador também ouvir as palavras dos ex-presidentes, inclusive do fundador da AAAGV, Eduardo, que nos passaram a importância da obtenção do melhor resultado possível. Estávamos realmente dispostos a ter as melhores festas e o melhor desempenho após ouvir o relato destas lendas."

Tanto nesse evento quanto nos demais que antecederam a festa, assim como também durante a realização das Economíadas, o pesquisador pôde observar que houve grande comprometimento por parte de todos os alunos participantes na obtenção do título almejado. Ainda que a elaboração de uma visão inspiradora seja algo apresentado em disciplinas como planejamento estratégico, para os estudantes, aquela era uma oportunidade real de trabalhar individualmente e em conjunto para a elaboração e vivência da competência.

Não é possível afirmar que esses estudantes nunca tenham tido a oportunidade de ter uma aprendizagem prática do poder de uma visão inspiradora (a própria entrada na faculdade pode ter sido atingida dessa maneira). Ainda assim, conforme relatado nas entrevistas e também constatado na observação das festas, a obtenção do título das

Economíadas foi, se não o primeiro, um dos mais marcantes aprendizados práticos dos alunos no seu percurso acadêmico.

A próxima competência do esportismo demonstra quais estratégias foram aprendidas e utilizadas pelos estudantes da GV para o atingimento dessa visão.

6.3. Estratégia

A terceira competência do esportismo, a estratégia, pôde ser observada durante a preparação das Economíadas 2017 no que concerne tanto às festas do evento como no que diz respeito à preparação das equipes da AAAGV. Ainda que os estudantes tenham visto a importância de ter uma estratégia adequada para a obtenção de determinado resultado em diferentes disciplinas, parte significativa deles nunca teve a oportunidade profissional de elaborar estratégias como executivos e empreendedores, por ainda cursarem Administração. Tanto as festas quanto as competições do evento permitiram que os alunos aprendessem na prática como realizar um evento complexo, com festas e competições que aconteceram em vários dias. E mais: que aprendessem como planejar essa realização de modo que ela viabilizasse aquilo que tinham como visão: o título das Economíadas.

No que concerne às festas, além daquelas no evento propriamente dito, ocorreram várias durante o ano, as quais foram organizadas pela entidade visando-se à captação de recursos. Visto que a maioria dos estudantes vai não apenas para competir, mas muitas vezes para torcer e festejar, tudo foi minuciosamente planejado de maneira a atender e superar as expectativas daqueles que participaram do evento.

Muito diálogo entre os discentes aconteceu previamente e no decorrer do evento, e os organizadores puderam se beneficiar de conversas e orientações passadas nesses diálogos com os estudantes que já haviam organizado ou participado de uma edição anterior da Economíadas. Segundo o depoimento de um dos dirigentes da AAAGV:

> "Todas as festas que aconteceram durante as competições, e principalmente após, foram minuciosamente planejadas. Nessas festas, nossa responsabilidade foi muito grande, visto que, ainda que a AAAGV nunca tivesse obtido um título, nossas festas há muito tempo são consideradas as mais empolgantes entre todas as festas que acontecem. Então, tratamos de preparar *kits* que permitissem que os alunos adquirissem os convites com antecedência, informando pra eles quais as atrações que aconteceriam em cada festa, assim como também contratamos externamente apoio pra que tudo ocorresse dentro do previsto. Ter as melhores festas das Economíadas de 2017 era nossa obrigação, pois os alunos não esperavam nada diferente disso."

Quanto à parte competitiva, o declarado objetivo de conquistar o título inédito de primeiro lugar das Economíadas foi algo que permeou todo o planejamento do evento, o que incluiu a arrecadação dos recursos, a contratação de técnicos dedicados para cada modalidade, a realização de treinos ao longo do ano e a participação em eventos universitários a fim de que os atletas pudessem estar prontos para a semana de competições. Novamente, para que isso fosse feito, os organizadores, em especial, estiveram muito próximos de líderes estudantis que já haviam estado à frente do evento em edições anteriores. Como relatou uma entrevistada, atleta de uma modalidade de esporte coletivo:

> "É evidente que, para a maior parte dos alunos que participaram das Economíadas, o grande objetivo era participar das históricas festas da AAAGV, mas 2017 foi o ano em que decidimos ser campeões gerais pela primeira vez. Então, a diretoria da Atlética se reunia conosco e definimos um calendário muito detalhado que nos permitisse obter o melhor resultado possível nas competições. A responsabilidade era muito grande; então, usamos tudo o que

aprendemos na sala de aula para atingir e superar a preparação proposta e, assim, ter mais chances de atingir o resultado esperado."

Essa competência demonstra uma característica que, de certa forma, pauta todas as demais durante as Economíadas, que é o fato de os alunos mais jovens, que estão organizando o evento, se inspirarem nos dirigentes e participantes de eventos passados, utilizando o que já deu certo antes e descartando o que não funcionou. Novamente, uma aprendizagem crítica de ciclo duplo, que só é possível a partir do aprendizado prático e interativo entre os agentes das Economíadas de 2017 e seus antecessores.

Como as estratégias foram aprendidas e executadas na prática será tratado na próxima competência da teoria do esportismo.

6.4 Execução

A competência execução é híbrida quando se trata de um evento festivo e competitivo como as Economíadas. Ela se dá não somente na participação das competições, como também durante as festas que aconteceram após. Era evidente que todos os participantes da AAAGV desejavam não apenas celebrar ao máximo, aproveitando os eventos que aconteciam na tenda da Atlética e as festas noturnas, como também vencer os jogos. Como disse um atleta que participou das Economíadas em 2017:

> "Foi uma loucura essa Economíadas! Eu estudei e estagiei o ano todo, mas o maior e melhor evento de 2017 foi, sem dúvida, as Economíadas. Fui em todas as festas e acabei emendando a festa com a competição, pois nosso objetivo não era só vencer, mas viver intensamente e aproveitar as atividades que a Atlética organizou. E não fui só eu: acredito que todos os atletas, não só os torcedores, tivemos a maior experiência das nossas vidas neste ano."

Para a execução de um evento com essa complexidade, os organizadores, dirigentes da AAAGV, contrataram empresas terceirizadas para treinar suas equipes e para organizar cada uma das festas. Para todos os entrevistados, o evento não apenas era algo especial nas suas vidas, como também algo de que eles nunca haviam participado antes. O que se observou, assim como em outras competências, foi que a contratação, a preparação e a participação nas festas, assim como nas competições (seja pelos atletas, seja pelos integrantes da bateria ou mesmo pelos torcedores), eram muito desafiadoras. Os alunos conversaram bastante com colegas mais experientes, dirigentes que passaram pela atlética e mesmo com integrantes de outras faculdades e da liga. Esse apoio foi muito útil, mas, ainda assim, houve a necessidade de improvisar, como quando acabou a energia em uma das partidas da competição. Manter os torcedores e atletas unidos e no local, além de solucionar o problema, foi uma atividade de execução resolvida no momento, com foco e improviso.

Ainda que o componente festivo esteja presente no depoimento destacado anteriormente e em outros obtidos, o grande objetivo da AAAGV e de seus dirigentes era vencer os jogos. Então, o esforço para se superar e atingir o melhor resultado esportivo possível estava presente em todos os momentos, sem que os estudantes deixassem de buscar também organizar e participar de festas inesquecíveis.

A execução, assim como a atitude, é uma competência em relação à qual a literatura e o estudo têm menor contribuição efetiva, tendo muita relevância a aprendizagem baseada na sua prática. Os desafios enfrentados antes, durante e após o evento ofereceram uma oportunidade única para que houvesse um aprendizado prático da execução correta das atividades. Assim, sem nenhuma regra ou parâmetro mais formal que pudesse servir de referência, a aprendizagem prática da execução que as Economíadas pode oferecer se caracterizou também como sendo de circuito duplo.

Como o trabalho em equipe – quinta competência da teoria do esportismo – contribuiu para a participação da AAAGV no evento e como ele foi aprendido na prática pelos alunos estão entre os aspectos analisados a seguir.

6.5. Trabalho em equipe

O trabalho em equipe é uma competência pertencente à teoria do esportismo que também está presente em muitas disciplinas estudadas pelos alunos. Ele foi amplamente registrado ao longo do evento, visto que a organização de diversas atividades de caráter festivo e competitivo envolveu centenas de alunos da FGV EAESP, assim como um amplo contingente de empresas contratadas para dar o suporte adequado nos dias do evento.

O esforço realizado pela AAAGV, pelos seus integrantes e pelas empresas parceiras veio a atender às necessidades competitivas e também festivas, o que pôde ser observado na produção das festas, desde longa data consideradas pelos alunos da FGV EAESP como sendo as melhores das Economíadas e que, em 2017, obtiveram a mesma avaliação por parte dos participantes. Além disso, por meio da sua torcida, os alunos que passavam os dias competindo ou incentivando os atletas demonstraram o mesmo nível de empolgação e organização apresentado durante as festas universitárias.

Segundo um dos entrevistados, que participou e contribuiu como dirigente da AAAGV e que tinha também vasta experiência na condução das Economíadas e de eventos similares promovidos pela faculdade, 2017 realmente superou todas as expectativas:

> "As Economíadas, pra gestão de uma associação atlética, são O evento do ano; sem dúvida, a mais importante atividade do calendário. O evento tem essa importância por se tratar da maior competição esportiva da qual a entidade participa, junto com o maior evento social organizado pela Atlética. São diversas moda-

lidades esportivas que demandam total atenção ao mesmo tempo, quatro dias e noites de atividades sociais (festas, shows, cervejadas etc.). Na minha opinião, o trabalho em equipe é, sem dúvida, a competência mais importante pro sucesso em um evento dessa magnitude."

O trabalho em equipe é uma competência que pode ser ministrada em disciplinas de Recursos Humanos para os estudantes de Administração, Economia e Contábeis, o que lhes permite ter entendimento teórico. Todavia, durante as Economíadas, os estudantes que dela fazem parte dispõem da oportunidade de ter uma aprendizagem prática de ciclo duplo, buscando as melhores maneiras de coordenar os esforços de todos para que as festas e as competições universitárias sejam inesquecíveis.

Algo observado e que reafirma essa conclusão foi que, nas provas, algumas alunas da GV não apenas participavam das festas e das competições, como também vestiam uma camiseta específica, convidando outras alunas que se sentissem molestadas a falarem com elas para obter orientação e apoio, se necessário.

Finalmente, a utilização intuitiva das competências da teoria do esportismo (atitude, visão, estratégia, execução e trabalho em equipe), combinada com a intensa celebração nas Economíadas, na visão dos entrevistados neste estudo qualitativo, contribuiu para que a AAAGV não somente conquistasse o autoproclamado posto de detentora das melhores festas do evento, mas obtivesse, pela primeira vez na sua história, o título de campeã geral das Economíadas (Figura 2).

Figura 2 – Atletas e dirigentes da AAAGV erguem a taça de 2017.

Dessa forma, como é resumido no Quadro 2, a pesquisa demonstrou que a participação nas Economíadas pelos estudantes da GV permite que ocorra um aprendizado na prática de determinadas competências necessárias para o desenvolvimento e o amadurecimento de cada um, sendo que essa aprendizagem se dá algumas vezes ora de forma complementar aos conteúdos ministrados em cada uma das disciplinas cursadas em sala de aula, ora de forma única.

Ainda que a liga e as atléticas que participam do evento tenham documentos formais – como estatutos –, este é um evento organizado por estudantes para estudantes. Sua pouca experiência profissional combinada com a vontade de realizar um evento de qualidade faz com que a aprendizagem prática da teoria do esportismo, composta pelas cinco competências aqui apresentadas, aconteça por meio do ciclo duplo, no qual, ainda que a experiência dos alunos mais velhos seja constantemente acessada, os participantes logram a oportunidade de realizar cada festa e cada competição com os métodos e processos que julgam mais adequados.

Quadro 2 – Competências da teoria do esportismo e ciclo de aprendizagem baseada na prática.

Competências do esportismo	Aprendizagem prática (S/N)	Ciclo: simples ou duplo
Atitude	S	Duplo
Visão	S	Duplo
Estratégia	S	Duplo
Execução	S	Duplo
Trabalho em equipe	S	Duplo

Ao fazer um balanço de toda a história vivida ao longo desses anos, o fundador da AAAGV e até hoje um dos principais apoiadores do evento, Eduardo Quilici, relatou:

> "Hoje, a AAAGV tem um título de campeã geral da Economíadas, e isso foi a maior conquista que já tivemos. Nossa Atlética era no início desorganizada e sem um foco esportivo. A experiência foi sendo vivida com muito entretenimento, mas ainda sem as equipes niveladas por cima. A GV foi pioneira na tenda, na cervejada, na festa Giabólica. Com o tempo, a Bateria Tatu-Bola foi se organizando, crescendo, e a torcida, exercendo um protagonismo que chamava atenção, gerando muita emoção pra quem estava lá e sendo o 'décimo segundo' jogador em campo.
>
> Veio 2017, e todo esse esforço foi recompensado. Que energia incrível! Todos focados, todos por um e cada um por todos."

7. CONCLUSÕES

Considerando o campo dos estudos organizacionais, observa-se que há uma ausência de pesquisas que tratam a festa como lócus da organização, ainda mais no que tange a pensar a festa como prática de desenvolvimento de competências. Nesse sentido, este artigo contribui com o campo por construir uma análise inédita, que foi trazer para reflexão a aprendizagem pela prática e o desenvolvimento de competências a partir da teoria do esportismo vivenciada por estudantes em festas universitárias.

Assim, o trabalho apresentou como as competências do esportismo são aprendidas e praticadas pelos estudantes durante as Economíadas, seja nas competições, seja na organização do evento, seja até mesmo no decorrer das festas. Foi visto que o aprendizado prático acontece dentro desse contexto, sendo que as cinco competências – atitude, visão, estratégia, execução e trabalho em equipe – são adquiridas de forma intuitiva por aqueles que participam de atividades esportivas e festivas, sendo uma vivência marcante para a formação acadêmica e profissional dos estudantes.

A aprendizagem baseada na prática de cada uma das competências no que concerne tanto aos dirigentes quanto aos participantes da AAAGV pôde ser observada através do ciclo duplo de aprendizagem prática, conforme foi apresentado nos resultados. Isso ocorre porque a gestão ainda é amadora, já que os seus organizadores não são profissionais; por essa razão, ela não se encontra formalizada e estruturada, permitindo improvisação, reflexão e oportunidade de inovação das atividades realizadas pelos participantes.

Dessa forma, o estudo demonstra que, embora a aprendizagem baseada na prática seja passível de ser realizada de diferentes formas, ela também pode acontecer mediante o "aprender fazendo" que caracteriza aqueles que participam de esportes e ao mesmo tempo trabalham com a administração de negócios e outros empreendimentos relacionados. Segundo a teoria do esportismo, essas pessoas aprendem desenvolvendo as competências mapeadas na pesquisa. Nessa direção, este estudo articula duas abordagens e demonstra como ambas estão relacionadas: a aprendizagem baseada na prática e a teoria do esportismo.

Espera-se que novos estudos ampliem o entendimento da contribuição das competências da teoria do esportismo para aprendizagens baseadas na prática, visto que esse olhar da contribuição da prática esportiva com suas nuances e especificidades ainda não foi pesquisado por aqueles que se dedicam ao estudo da aprendizagem mencionada. Além disso, pode ser interessante acompanhar a trajetória dos estudantes que participaram das Economíadas para compreender, na prática, os impactos das competências adquiridas não apenas na realização das próprias Economíadas em si, como também, a médio e longo prazos, no seu percurso acadêmico e profissional.

REFERÊNCIAS

ARCANJO, N. J.; CEZÁRIO, C. **Levantamento sobre os valores que a prática do judô traz para a vida profissional e pessoal de atletas portadores de deficiência visual**. Trabalho de conclusão de curso (Graduação em Educação Física) – Universidade de Guarulhos. Guarulhos, 2015.

BEZERRA, C. O.; DAVEL, E. P. B. Tradição e inovação na era digital: valor simbólico, cultura e marketing. **REAd**, Porto Alegre, v. 23, n. 3, p. 288-312, dez. 2017.

BISPO, M. D. S. Estudos baseados em prática: conceitos, história e perspectivas. **Revista Interdisciplinar de Gestão Social**, Salvador v. 2, n. 1, p. 13-33, 2013.

BISPO, M. D. S. Methodological reflections on practice-based research in organization studies. **Brazilian Administration Review**, Rio de Janeiro, v. 12, n. 3, p. 309-323, 2015.

CALLIARI, M.; MOTTA, A. **Código Y**: decifrando a geração que está mudando o Brasil. São Paulo: Évora, 2012.

CASTROPIL, W.; MOTTA, R. G. **Esportismo**: valores do esporte para a alta performance pessoal e profissional. São Paulo: Gente, 2010.

CASTROPIL, W.; MOTTA, R. G.; SANTOS, N. Esportismo: competências adquiridas no esporte que auxiliam o atingimento da alta performance profissional. **Revista SODEBRAS**, Guaratinguetá, v. 12, n. 134, p. 25-30, fev. 2017.

CRESWELL, J. W. **Projeto de Pesquisa**: métodos qualitativo, quantitativo e misto. Porto Alegre: Bookman, 2010.

DURAND, T. L'alchimie de la compétence. **Revue Française de Gestion**, Paris, n. 127, p. 84-102, jan./fev. 2000.

DURANTE, D. G. *et al*. Aprendizagem organizacional na abordagem dos estudos baseados em prática: revisão da produção científica. **RAM, Rev. Adm. Mackenzie,** São Paulo, v. 20, n. 2, p. 1-27, 2019.

FLEURY, A.; FLEURY, M. T. L. **Estratégias empresariais e formação de competências**: um quebra-cabeça caleidoscópico da indústria brasileira. São Paulo: Atlas, 2001.

GHERARDI, S. Conhecimento situado e ação situada: o que os estudos baseados na prática prometem? *In*: GHERARDI, S.; STRATI, A. (org.). **Administração e aprendizagem na prática**. Rio de Janeiro: Elsevier, 2014.

GODOI, A.; LAS CASAS, A.; MOTTA, A. A utilização do Facebook como ferramenta de marketing para construir relacionamento com o consumidor: um estudo de *fan pages* no Brasil. **Business and Management Review**, Londres, v. 5, n. 1, p. 97-112, jun. 2015.

GOMÉZ, J. P.; PAMPOLS, C. F. Espacios e itinerarios para el ocio juvenil nocturno. **Revista de Estudios de Juventud**, v. 50, p. 23-41, 2000. Disponível em: <http://www.injuve.es/observatorio/ocio-y-tiempo-libre/no-50-ocio-y-tiempo-libre>. Acesso em: 15 nov. 2018.

MOTTA, R. G.; CEZÁRIO, C.; CASTROPIL, W. Esportismo: uma análise com judocas paralímpicos das competências que auxiliam o atingimento de desempenho esportivo superior. **Revista SODEBRAS**, Guaratinguetá, v. 12, n. 136, p. 33-37, abr. 2017.

MOTTA, R. G.; SANTOS, N. M. B. F. D.; CASTROPIL, W. Chiaki Ishii: uma pesquisa narrativa sobre o atleta que alavancou o judô no Brasil a partir das competências do esportismo. **Pensamento & Realidade**, São Paulo, v. 32, n. 2, p. 123-140, 2017.

MUSSE, A. B. Apologia ao uso e abuso de álcool entre universitários: uma análise de cartazes de propaganda de festas universitárias. **SMAD: Revista Eletrônica de Saúde Mental, Álcool e Droga**, v. 4, n. 1, 2008. Disponível em: <https://www.revistas.usp.br/smad/issue/view/3221>. Acesso em: 15 nov. 2018.

NICOLINI, D.; GHERARDI, S.; YANOW, D. Introduction: towards a practice-based view of knowing and learning in organizations. In: NICOLINI, D.; GHERARDI, S.; YANOW, D. (ed.). **Knowing in organisations**: a practice-based approach. Londres: Sharpe, 2003.

PAIVA, K. C. M.; MELO, M. C. O. L. Competências, gestão de competências e profissões: perspectivas de pesquisas. **RAC**, Curitiba, v. 12, n. 2, p. 339-368, 2008.

RAELIN, J. A. Toward an epistemology of practice. **Academy of Management Learning & Education**, v. 6, n. 4, p. 495-519, 2007.

SANTOS, A. L. Amor preto e amarelo. **GVExecutivo**, Memória EAESP, v. 14, n. 1, jan./jun. 2015.

SANTOS, L. L. S.; SILVEIRA, R. A. Por uma epistemologia das práticas organizacionais: a contribuição de Theodore Schatzki. **Organizações & Sociedade**, Salvador, v. 22, n. 72, p. 79- 98, 2015.

SOUZA-SILVA, J.; DAVEL, E. Da ação à colaboração reflexiva em comunidades de prática. **RAE: Revista de Administração de Empresas**, São Paulo, v. 47, n. 3, p. 53-65, 2007.

TRILHA 3

CRÍTICA

RESULTADO

ESPORTE

CAPÍTULO 5

SUOR, SUPERAÇÃO E MEDALHA: UMA ANÁLISE DO DISCURSO SOBRE A LITERATURA *POP MANAGEMENT* INSPIRADA NO ESPORTE DE COMPETIÇÃO[8]

Rodrigo Guimarães Motta
Maria Amelia Jundurian Corá
Silma Ramos Coimbra Mendes

RESUMO

Este artigo alinha-se aos estudos organizacionais, ao analisar, de forma crítica, a literatura do *pop management*, inspirada no esporte de competição, como um discurso gerencialista de "receitas" para a construção de um profissional de sucesso. Para realizar o estudo, foram selecionados 11 livros escritos por esportistas, dos quais foram extraídos e analisados alguns enunciados por meio de conceitos como interdiscurso, simulacro e aforização. A partir da leitura realizada, observou-se que o *pop management* se posiciona como uma literatura que contribui para a disseminação do discurso gerencialista tradicional

---

8. Originalmente publicado na **RBEO: Revista Brasileira de Estudos Organizacionais**, v. 6, n. 1, p. 77-101, abr. 2019.

e que esses livros dialogam interdiscursivamente com manuais de administração e livros de autoajuda. São livros repletos de aforizações, utilizadas para destacar temas como liderança, trabalho em equipe e superação. Duas posições antagônicas foram observadas nessas obras: uma delas, na qual se insere o discurso de "suor, superação e medalha", enfatiza a noção de luta e o espírito de superação requerido a todo esportista que se preze, ou "esportista ideal"; a outra, produzida em contrapartida à primeira, apresenta o "esportista decaído" como simulacro do "esportista ideal", caracterizando aqueles que não se alinham com o discurso proposto por tal ideário.

Palavras-chave: Análise do Discurso Francesa. Esporte. Estudos organizacionais. *Pop management*.

1. INTRODUÇÃO

A literatura constantemente retrata o cotidiano das sociedades; por conseguinte, o ambiente organizacional também se encontra nela representado, seja como figurante, seja como protagonista. Nesse universo literário no qual ele também se insere, destacam-se as biografias de autores considerados ilustres, entre os quais figuram principalmente artistas, esportistas, executivos e empreendedores, que possibilitam, a partir das suas experiências de vida, uma forma de aprendizagem. E é notório que, em muitos casos, narrativas dessa natureza são utilizadas como livros de autoajuda com a pretensão de orientar seus leitores sobre a forma mais acertada de se lidar com as dificuldades e alcançar o sucesso.

Desde a década de 1990, os livros de autoajuda em gestão têm aumentado suas vendas, consumidos por profissionais ansiosos em obter respostas rápidas a respeito de como alcançar melhor desempenho

(PICANÇO, 2013). A esse tipo de literatura, alguns autores convencionaram chamar *pop management* (WOOD JR.; PAULA, 2002). De forma geral, trata-se de livros escritos por "gurus" – profissionais especializados em desenvolver esse tipo de literatura, além de produtos a ele associados, como palestras, seminários e vídeos, a exemplo do americano Anthony Robbins e do brasileiro Roberto Shinyashiki (PICANÇO, 2013) –, por executivos e empresários considerados bem-sucedidos – como Sam Walton e Abílio Diniz – e, ainda, por esportistas consagrados. Tais publicações adotam uma visão essencialmente alinhada com o modelo tradicional de administração, que responsabiliza os profissionais a fim de que alcancem as metas e os processos estabelecidos pelas organizações, enfatizando que, por meio de um desempenho modelar das suas atividades, eles terão uma trajetória exitosa. Um exemplo é a referência a esse processo na introdução de um dos livros que *a posteriori* é analisado neste artigo:

> Ao percorrer uma livraria, é comum nos depararmos com um leque variado de livros contendo sugestões para quem busca um bom desempenho na vida pessoal e profissional. É recorrente o tema dos amplos benefícios que os valores assimilados nos campos, nas quadras, nas piscinas, nos tatames, nos tablados de ginástica e em outros espaços de prática esportiva trouxeram e trazem para a vida pessoal e a carreira de cada uma dessas pessoas, seja um praticante de judô que importou a disciplina da arte marcial para sua rotina no escritório, seja um jogador de tênis que conseguiu transferir o espírito competitivo desenvolvido pela modalidade para o seu trabalho, seja o atleta de esporte coletivo que entendeu como deve conduzir trabalhos em equipe. (CASTROPIL; MOTTA, 2010, p. 5)

Nesse contexto, para os estudos organizacionais, esta pesquisa explora a associação da prática esportiva como um espaço de perfil profissional com o *pop management* como um fenômeno emergente e popular de formação de *expertises* de gestão, fundamentada na história e nas experiências vivenciadas por esportistas, além de compreender como tais obras contribuem para o reforço e a proliferação do próprio *pop management* e do seu discurso de sucesso e eficiência.

Dessa forma, este artigo procura contribuir para o entendimento do fenômeno do *pop management* a partir da experiência do esporte sob uma perspectiva crítica, na qual a relação, o papel e o perfil dos atletas se fundem aos resultados esperados dos profissionais de gestão.

Como estrutura do trabalho, inicia-se o estudo com uma referência teórica ao *pop management*, passando-se à Análise do Discurso Francesa e aos procedimentos metodológicos utilizados, seguidos da análise do *corpus* da pesquisa, dos resultados obtidos e das conclusões.

2. POP MANAGEMENT

Assuntos relacionados à gestão de empresas vêm ganhando relevância, com aumento considerável do número de pessoas neles interessadas (FURUSTEN, 1999; DUARTE; MEDEIROS, 2017), o que contribuiu com o surgimento da indústria ora intitulada de *pop management* (WOOD JR.; PAULA, 2002), que engloba literatura, palestras e outras mídias (tais como vídeos) que apresentam os conceitos de gestão de forma simplificada para um público cada vez mais amplo e que, no entanto, não tem formação específica e crítica nos temas nela tratados.

Apesar da superficialidade com que aborda os temas relacionados à gestão, essa literatura está alinhada à cultura predominante no mundo empresarial e, em especial, à de origem americana, que privilegia o discurso gerencialista, que defende a dominância da visão de mercado e das ferramentas que permitem às empresas e aos executivos atingirem seus resultados, ignorando potenciais conflitos de classes e sofrimentos individuais associados à busca incessante pelo atingimento de metas (ITUASSU; TONELLI, 2014; DUARTE; MEDEIROS, 2017).

São conceitos apresentados de forma pasteurizada e padronizada, que oferecem respostas simples a respeito de como o executivo pode ser bem-sucedido no seu trabalho (FURUSTEN, 1999; CARVALHO; CARVALHO; BEZERRA, 2010). O sucesso dessa abordagem é identificado não apenas pela proliferação de títulos da literatura *pop management*, como também pela adoção desses livros e revistas como material de ensino e difusão do conhecimento por empresas de consultoria e também por escolas de Administração (WOOD JR.; PAULA, 2002; CARVALHO; CARVALHO; BEZERRA, 2010).

Desde o artigo original de Wood Jr. e Paula (2001), diversos pesquisadores estudaram o fenômeno, analisando os títulos disponíveis dessa literatura, sendo possível observar que esse material é constituído de livros escritos por executivos de sucesso, que retratam sua bem-sucedida trajetória em empresas públicas ou privadas e oferecem lições a partir das suas próprias experiências – como os livros de Abílio Diniz (2004, 2016) –, de autores que se utilizam de metáforas diversas – como a vida monástica – para descrever o que o executivo deve realizar para entregar o que se espera dele (CHACON; MAGAN, 2007; GERMANO; SÁ, 2013) e também de esportistas que identificam em suas trajetórias pontos que foram úteis na sua jornada nos campos e nas quadras; pontos esses que podem ser replicados no mundo corporativo para a obtenção do sucesso (BARBOSA *et al.*, 2011).

A literatura do *pop management* fomenta a fantasia de que os executivos e profissionais que a consomem podem alcançar e superar seus objetivos, tais como eles são estabelecidos pelas organizações, da mesma forma como pretende aliviar tensões psicológicas que sobrecarregam os executivos que participam desse processo, oferecendo-lhes a perspectiva de um final feliz após o atingimento dos resultados (WOOD JR.; PAULA, 2002). Manifestamente, a estrutura desse tipo de literatura tem inspiração nos contos de fada.

O *pop management* responde a uma agenda crescente do culto da excelência, em que o executivo se torna símbolo de sucesso social, o consumo é símbolo de realização pessoal e os campeões de esporte são símbolos de excelência. Além do culto da excelência, Wood Jr. e Paula (2001) refletem ainda sobre os desdobramentos desse mesmo culto para a cultura do empreendedorismo e do *management*, a qual é sustentada pelas empresas de consultoria e pelos gurus da gestão, sendo em todos os casos uma busca incessante pelo sucesso.

Complementarmente, a literatura *pop management* é colocada ao alcance de qualquer um que deseja ter sucesso rapidamente. Duas das estruturas encontradas são a utilização de fórmulas ou receitas que já deram certo e a sua venda em bancas de jornais e livrarias – em particular, as que se situam em aeroportos –, potencializadas pelo que Wood Jr. e Paula (2001) apresentam como mídia de negócios, na qual há uma promoção de valores associados ao empreendedorismo e ao sucesso empresarial, indução pelo poder e influência, prestígio da agenda dos executivos e divulgação das novidades gerenciais.

No que se refere à aproximação entre esporte e gestão, mesmo que o esporte tenha suas próprias características – seja na carreira do atleta, seja nos eventos que o regem –, o efeito inspirador e motivador que as biografias dos atletas oferece tem efetivo potencial de ser um conto de fadas para adultos e, dessa forma, de mobilizar similaridades com as características fundamentais do *pop management*: o fomento a fantasias de poder e o alívio das tensões psicológicas.

De fato, acerca do material estudado, com exceção da teoria do esportismo (CASTROPIL; MOTTA; SANTOS, 2017), que procura analisar a aproximação entre as competências apreendidas na prática esportiva e sua aplicação na vida executiva, os demais livros têm um conteúdo baseado nas experiências de vida dos atletas, que relatam suas dificuldades, as formas de contorná-las e os resultados exitosos alinhados ao *pop management*, tal como descrito por Wood Jr. e Paula em 2002.

A crítica à literatura *pop management* se posiciona dentro dos Estudos Críticos em Administração, que apontam os problemas causados pela visão gerencialista – uma visão que não reconhece os conflitos entre as classes de trabalhadores e o sofrimento pelo qual o trabalhador contemporâneo passa para poder desempenhar suas atividades (PAULA; MARANHÃO; BARROS, 2009). Em outras palavras: o *pop management* caracteriza-se por ter proposta contrária àquela que propõe o desenvolvimento de estudos baseados nos seguintes parâmetros: visão desnaturalizada da administração, ter sua intenção desvinculada da performance e intenção emancipatória (DAVEL; ALCADIPANI, 2003).

Segundo Motta e Corá (2017, p. 2-3),

> a visão desnaturalizada da administração é um contraponto às teorias dominantes da administração, que consideram a forma como as organizações se estabelecem e as relações que existem dentro delas como sendo formas naturais. A visão desnaturalizada entende que tanto as organizações como as relações estabelecidas foram criadas a partir de uma lógica de dominação, na qual o conflito de visões opostas se fez presente em seu desenvolvimento. [...] A ênfase está na busca por soluções para emancipar as pessoas. Quanto à intenção emancipatória, ela busca permitir que os indivíduos questionem as práticas a que estão subordinados dentro das organizações e, se são opressivas ou inibem seu desenvolvimento, que isso seja demonstrado e tratado.

O *pop management* torna acessível o conhecimento de características gerencialistas para um amplo público, especialmente os profissionais que consomem livros, revistas e outros produtos na busca por "receitas" prontas, sem uma reflexão crítica que possibilite outros pontos de vista, contradições e conflitos, ou seja, sem uma reflexão que garanta ao trabalhador uma visão emancipada. No caso do *pop management*, tal literatura fortalece ainda mais uma posição "domesticada" do trabalhador.

3. O DISPOSITIVO TEÓRICO-METODOLÓGICO DA ANÁLISE DO DISCURSO

A Análise do Discurso é um dispositivo teórico-metodológico que vem se desenvolvendo desde os anos 1960, com expressiva participação em pesquisas na área das ciências humanas. Marcada pelo signo da heterogeneidade, constitui-se como uma abordagem na qual se entrelaçam duas tradições de pesquisa: a de linha francesa e a de origem anglo-saxônica (MUSSALIM, 2012).

Neste artigo, os autores escolheram a Análise do Discurso de escola francesa (doravante, "AD") para realizar a análise proposta com base nos estudos desenvolvidos por Dominique Maingueneau.

A AD surge na década de 1960, na França, a partir de três disciplinas distintas: a Linguística, o Marxismo e a Psicanálise (ORLANDI, 1999). Para Orlandi (1999, p. 13), o discurso é "palavra em movimento, prática de linguagem", por meio da qual é possível compreender como o homem produz sentido para a sua vida e interage com a sua realidade natural e social.

Segundo Mussalim (2012), na primeira fase da AD, que teve como analista de maior destaque Michel Pêcheux, os discursos estudados eram mais estabilizados e as análises eram feitas a partir de *corpora* fechados de sequências discursivas, como os manifestos de partidos políticos. Nessa fase, os discursos eram "considerados não só fechados sobre si mesmos mas também regidos por condições de produção estáveis, e por isso as relações entre os discursos se reduziam a aproximações de unidades independentes e compactas" (BRUNELLI, 2008, p. 13).

Na segunda fase da AD, o autor que se destaca é Michel Foucault, que, a partir do conceito de formação discursiva, irá superar as análises fechadas da primeira fase. Formações discursivas – que, mais tarde, serão também chamadas de "posicionamentos" por alguns autores – são definidas como "aquilo que numa formação ideológica dada – ou seja, a partir de uma posição dada em uma conjuntura sócio-histórica dada – determina o que pode e deve ser dito" (ORLANDI, 1999, p. 41).

A segunda fase irá se concentrar em como ocorrem as relações entre as formações discursivas (MUSSALIM, 2012), que tanto podem ser de confronto quanto de aliança.

Na terceira fase da AD, o autor que se destaca é Dominique Maingueneau, que reconhece a primazia do interdiscurso. De acordo com esse conceito, determinado discurso se relaciona com outros, sendo elaborado a partir de discursos anteriores e servindo de referência para discursos por vir, dentro da mesma formação discursiva. O interdiscurso, para esse teórico, tem supremacia sobre o discurso, o que equivale a considerar que a unidade de análise pertinente não seja o discurso, mas o interdiscurso.

Um aspecto muito importante nessa concepção é que a relação interdiscursiva supõe que os discursos já estariam entranhados na gênese, já nasceriam imbricados numa relação dialógica. A ideia é pensar a presença do interdiscurso no próprio coração do intradiscurso, considerando o outro não mais como uma espécie de "envelope" do discurso nem como um conjunto de citações, mas como um outro que se encontra na raiz de um mesmo sempre já descentrado sob a figura de uma plenitude autônoma. Propor o interdiscurso também significa que ele apreende não uma formação discursiva, mas que é da interação entre as várias formações que nasce a sua identidade discursiva.

Por ser um termo muito vago, Maingueneau (2008) propõe substituí-lo por uma tríade: universo discursivo, campo discursivo e espaço discursivo. Como universo discursivo, o linguista entende o conjunto de formações discursivas de todos os tipos que interagem numa conjuntura dada. Como campo discursivo, o conjunto de formações discursivas que se encontram em concorrência delimita-se reciprocamente em uma região determinada do universo discursivo, seja em confronto aberto, seja em aliança, seja na forma de neutralidade aparente. Para o autor, é no interior do campo discursivo que se constitui um discurso, e sua hipótese é de que tal constituição pode se deixar descrever em termos de operações regulares sobre formações discursivas já existentes. Finalmente, propõe isolar espaços discursivos, isto é, subconjuntos de formações discursivas que o analista julga relevante colocar em relação por considerá-los pertinentes para seu propósito.

Outro princípio importante remete ao pressuposto de que um discurso não deve ser pensado somente como um conjunto de textos, mas como uma prática discursiva. Maingueneau (2008) propõe que o funcionamento discursivo se estenda além de categorias destinadas a engendrar enunciados por meio de uma gramática. O que está em questão é, ainda, a relação entre os modos de produção e o consumo desses textos. Cada formação discursiva seleciona, de acordo com a sua semântica global, os modos e os espaços de circulação dos discursos. Os tipos de prática de um partido, de uma instituição, de uma igreja são compatíveis com a sua semântica global, ou seja, sua organização (modos de difusão) é regida por sua semântica global.

Outro ponto relevante do interdiscurso é que, uma vez que ele acontece a partir de uma determinada formação discursiva ou posicionamento, quando interage com outra formação, os discursos pertencentes a cada uma delas participarão de um processo de "interincompreensão generalizada" (MAINGUENEAU, 2008). Aqui, a polêmica entre as formações se dá com a introdução do outro em sua formação para reduzir sua ameaça, só que não tal como ele o é, mas como um simulacro, uma versão diferente daquela original, deteriorada, negativa. Sobre esse ponto, cabe reforçar que "os traços negativos, na verdade, não são do Outro propriamente dito, mas são traços que o discurso atribui ao seu outro" (BRUNELLI, 2008, p. 21).

Os discursos, para a AD, são compostos de diversos elementos. Para efeito deste artigo, os autores julgam relevante apresentar a definição de aforização. Para Maingueneau (2010), há enunciados que são destacados do texto, dando-se mais relevância a eles do que aos demais. Observam-se inúmeras ocorrências de enunciados destacados que não o foram por acaso, mas que, por se apresentarem como destacáveis, potencialmente podem circular fora de seu texto de origem. São considerados enunciados destacáveis aqueles que: (i) têm um valor generalizante; (ii) estão colocados em determinadas posições que os tornam particularmente visíveis, sobretudo no início ou no fim de um texto ou de uma parte de um texto, posições que frequentemente indicam a condensação do sentido do conjunto em questão; (iii) mostram em sua enunciação uma "amplificação" da figura do enunciador, que parece mais enfática e expõe sua posição sobre um problema debatido; (iv) aqueles cuja enunciação interna é forte, o que torna o enunciado destacável mais atraente e mais facilmente memorizável: uma construção sintática simétrica, por exemplo, uma metáfora, um trocadilho, um paradoxo etc.; e (v) que acentuam, em um comentário do enunciador, o estatuto privilegiado desse fragmento: "esta verdade essencial...", "para mim, o ponto chave é...". Uma das possibilidades de destacar um determinado enunciado é através da enunciação aforizante, aquela em que o texto não parece surgir de uma fonte trivial e que tem um traço soberano, que "pretenda ser uma fala absoluta, descontextualizada" (BRUNELLI, 2011, p. 128).

4. ANÁLISE DO *CORPUS* DA PESQUISA

Este artigo utiliza os fundamentos teórico-metodológicos da AD para a realização de uma análise dos discursos que circulam na literatura *pop management*, mais especificamente aqueles que são baseados na prática esportiva, a partir daqui denominados "suor, superação e medalha". Dado o grande número de títulos disponíveis, os autores selecionaram 11 obras publicadas entre 2006 e 2016 que discutem essa temática. Segue a relação dos livros selecionados:

Quadro 1 – Livros selecionados.

Título	Autor(es)	Editora	Ano
Transformando suor em ouro	Bernardo Rocha de Rezende	Sextante	2006
Conquistando o sucesso	Oscar Schmidt	Komedi	2009
Nunca deixe de tentar	Michael Jordan	Sextante	2009
Treinador: lições sobre o jogo da vida	Michael Lewis	Sextante	2010
Esportismo: valores do esporte para a alta performance pessoal e profissional	Rodrigo Motta e Wagner Castropil	Gente	2010
Fora do comum	Tony Dungy e Nathan Whitaker	Sextante	2011
Lições de garra, fé e sucesso	Vitor Belfort	Thomas Nelson	2012
Onze anéis: a alma do sucesso	Phil Jackson	Rocco	2013
Os campeões	Mike Carson	Belas Letras	2015
Liderança	Alex Fergunson	Intrínseca	2015
Liderar com o coração	Mike Krzyzewski	Sextante	2016

Apesar de a maior parte dos livros ter em comum experiências de vida de ícones do esporte, há diversos esportes praticados e abordados por esses autores, como o basquete (SCHMIDT, 2009; JACKSON, 2013; JORDAN, 2009; KRYZYZEWSKI, 2016), o futebol (CARSON, 2015; FERGUSON, 2015), o vôlei (REZENDE, 2006), o futebol americano (DUNGY; WHITAKER, 2011), o beisebol (LEWIS, 2010), o MMA (BELFORT, 2012) e o judô (MOTTA; CASTROPIL, 2010).

Após a leitura dos livros selecionados, os autores fizeram uma análise discursiva de alguns dos seus excertos, utilizando para isso os conceitos de interdiscurso e de interincompreensão regrada (simulacro do trabalhador), aforizações e formação discursiva.

4.1. O interdiscurso

A primeira parte da análise da literatura "suor, superação e medalha" refere-se ao entendimento de quais discursos são retomados na sua produção de sentidos. Como todos os livros são escritos por esportistas – a maioria formada por atletas que já participaram de competições como os jogos olímpicos e mundiais –, a sua leitura possibilita perceber que eles foram concebidos como um manual, com o possível propósito de permitir rápida identificação e empatia por parte dos leitores, eles próprios administradores e executivos. Apesar de esses manuais de essência gerencialista terem diferentes propósitos e formatos, há etapas comuns – por exemplo, a de planejamento dos objetivos a serem atingidos em uma determinada atividade, seguida por outra, a de sua execução.

A seguir, encontram-se trechos dessas etapas, contidos na literatura analisada:

Quadro 2 – Temáticas de gestão apontadas.

Planejamento	"Talvez eu tenha errado no planejamento. Não consegui conduzir aquela equipe por etapas, um passo depois do outro. Não tive tempo para medir o potencial de cada um separado nem de todos como um time e, em função disso, planejar corretamente" (REZENDE, 2006, p. 73).
	"É fundamental fixar metas de curto prazo para que possamos avaliar, passo a passo, o nosso desempenho e verificar se o nosso caminho se mantém alinhado ao objetivo final" (JORDAN, 2009, p. 25).
	"É preciso ter claro que o objetivo maior é um desdobramento dos menores. E o que nos interessa prioritariamente é essa capacidade de visualização dos objetivos, desde os mais próximos até o final [...]. Essa capacidade de visualizar o triunfo está presente nos grandes competidores esportivos e pode ser transportada com sucesso para a vida pessoal e profissional" (CASTROPIL; MOTTA, 2010, p. 43).

Execução	"Luta: é a hora de colocar em prática todas as habilidades treinadas e desenvolvidas durante o treino. Não dá para planejar, tem de fazer. Toda a técnica já deve estar dentro de si, aprendida e apreendida até o nível das células" (BELFORT, 2012, p. 142). "Os padrões definem o que é ou não aceitável, tanto para um indivíduo quanto para uma equipe. Quando deixamos nossos padrões caírem, é como se disséssemos: 'Não precisamos ser tão bons o tempo todo'. Como resultado, o nível de sucesso decai junto com o esforço da equipe, a ética profissional e o sentimento de orgulho" (KRZYZEWSKI, 2016, p. 96). "A despeito do que pudéssemos enfrentar e dos altos e baixos, sabíamos que resistiríamos mental e fisicamente para resolver o que viesse e assim fizemos" (JACKSON, 2013, p. 299).

A interdiscursividade se faz presente na organização das obras de "suor, superação e medalha" por meio da articulação de seus discursos com os manuais de administração, validando o seu conteúdo, uma vez que, a partir dos exemplos esportivos mencionados, postula-se que os roteiros apresentados são coerentes e capazes de entregar os resultados esperados não apenas nos escritórios, como também nas quadras, conferindo-lhes um efeito de sentido de "naturalidade" e "eficiência". Isso impossibilita ao leitor uma visão mais a crítica do processo de produção desses roteiros, do que poderia ser feito de forma diferente, vinculando, assim, todo o trabalho às metas e aos resultados obtidos.

No espaço interdiscursivo, encontram-se também indícios de uma literatura que não a de administração, comumente produzida com impessoalidade e escrita na terceira pessoa, enquanto os esportistas escrevem com frequência em primeira pessoa e carregam seus textos de emoção, aproximando-os da literatura de autoajuda. Essa literatura, que existe desde o século XIX e que teve grande crescimento no Brasil a partir da década de 1990 (PICANÇO, 2013), tem diferentes formatos, mas em geral é relacionada a um manual (por exemplo, como conquistar) redigido, pelo menos parcialmente, no tempo verbal imperativo, com questionários, narrativas, exemplos e a promessa de bons resultados ao leitor (PICANÇO, 2013). Muitos livros de autoajuda propõem melhorar, através de suas prescrições, os relacionamentos, a saúde, a espiritualidade dos indivíduos. A literatura *pop management*, da qual fazem parte os títulos de "suor, superação e medalha", tem exatamente essas características, só que voltadas para o melhor desempenho no trabalho, tópico já abordado por outros autores (GRAEBIN, 2013; PICANÇO, 2013; CARVALHO; CARVALHO; BEZERRA, 2010; GERMANO; SÁ, 2013; CHIES; MARCON, 2008). Essa proximidade com a literatura de autoajuda explica parte do sucesso do *pop management*, visto que o aumento do interesse nos negócios foi atendido, a partir da década de 1990, por uma literatura com características que o leitor estava acostumado a encontrar na sua literatura cotidiana, composta por livros dessa mesma natureza.

A redação feita por um ícone, um esportista de sucesso, a quem os leitores dedicam reconhecimento e respeito imediatos, tem semelhança com uma pregação religiosa aos fiéis a partir do púlpito, que é um lugar que denota um plano superior. A possibilidade de oferecer soluções para melhor desempenho no trabalho remete muitas vezes a um discurso de autoajuda. A relação entre o discurso religioso, a autoajuda e o *pop management* já foi mencionada em alguns estudos (CHIES; MARCON, 2008; CARVALHO; CARVALHO; BEZERRA, 2010; GERMANO; SÁ, 2013).

Quanto ao tema "suor, superação e medalha", algumas das obras estudadas chegam a explicitar essa relação, como os exemplos a seguir demonstram:

> Quando eu oro, além de agradecer, me abro com Deus. Às vezes, nem peço nada. Constrangido por seu amor, prefiro sorrir. Peço a Deus que, com sua mão amorosa e calorosa, nos proteja de todo o mal, como na oração chamada Pai-Nosso. Que Ele nos mantenha

afastados de todos os perigos, doenças, confusões. (BELFORT, 2012, p. 148)

Meu objetivo ao exibir o vídeo *The Mystic Warrior* era de levar os jogadores a entender que uma conexão com algo para além de suas metas individuais poderia ser uma fonte de grande poder. (JACKSON, 2013, p. 83)

[...] leia a palavra de Deus. Há vários bons livros que trazem mensagens positivas que poderão confortá-lo. Mas duvido que qualquer livro o ajude tanto quanto a Bíblia, que traz diretamente a palavra de Deus. Muitos jovens afirmam que é difícil entender a Bíblia, mas já existem edições publicadas com a linguagem atual. (DUNGY; WHITAKER, 2011, p. 159)

De acordo com Maingueneau (2010, p. 14), o enunciador "assume o *éthos* do locutor que está no alto, do indivíduo autorizado, em contato com uma Fonte transcendente"; por isso, a estratégia do aforismo em discurso de religiosidade, de autoajuda e de manualização acaba sendo uma fórmula bem-sucedida, utilizada por vários autores desse gênero, conforme é possível ver a seguir.

4.2. As aforizações

Nos títulos "suor, superação e medalha", as aforizações têm um papel de muito destaque no texto, o que pode ser identificado pela quantidade de vezes que são utilizadas, assim como pelo espaço ocupado na página. Observa-se que as aforizações são utilizadas como uma maneira de reafirmar a autoridade de quem escreve e a validade dos conceitos apresentados, aproximando, dessa forma, o local de fala do esportista que escreve a uma fonte transcendente.

Para escrever as enunciações aforizantes, ainda que relatem nos livros principalmente sua história individual de superação nos esportes, os esportistas trazem textos de líderes religiosos, políticos, empresários e também – mas não com maior destaque que os demais – de outros esportistas. Esses autores aproximam as experiências vividas nas práticas esportivas ao dia a dia de outras profissões, buscando, com isso, naturalizar sua experiência, torná-la trivial para que o leitor possa se identificar com o que foi feito. Dessa forma, a estratégia do aforismo em discurso de autoajuda é uma fórmula bem-sucedida utilizada por vários autores desse gênero (BRUNELLI, 2011).

A seguir, com grifos destes pesquisadores, foram selecionadas aforizações presentes nos livros pesquisados, abordando três temas comuns a todos eles: liderança, trabalho em equipe e superação.

Quadro 3 – Aforizações.

Liderança	"Meu trabalho era fazer as pessoas entenderem que o **impossível é possível**. Essa é a diferença entre liderança e gestão." (FERGUNSON, 2015, contracapa)
	"**Os líderes que vencem conhecem seus objetivos**. Eles podem adaptar seu estilo, podem mudar sua abordagem, mas sabem o que querem alcançar, em que acreditam, o que defendem e em que se amparam." (CARSON, 2015, p. 221)
	"Quando motivamos uns aos outros, nosso ônibus geralmente chega a um destino maravilhoso." (KRZYZEWSKI, 2016, p. 89)
Trabalho em equipe	"**Não importa o tamanho de seu talento, se você é incapaz de fazer parte de um grupo, de uma comunidade, e se dá mais importância ao 'eu' do que ao 'nós'.**" (REZENDE, 2006, p. 113)
	"O verdadeiro amigo não compete e não se ressente diante do sucesso do outro. Pelo contrário, ele se alegra e comemora, mesmo que não esteja tendo sucesso na vida naquele momento." (BELFORT, 2012, p. 183)
	"Sempre que você está em conflito com alguém, há um elemento que pode significar a diferença entre arruinar o relacionamento e aprofundá-lo. Esse elemento é a atitude." – William James (DUNGY; WHITAKER, 2011, p. 71)

Superação	"Para vencer, você precisa dormir com a bola." (SCHMIDT, 2009, p. 42) **"O importante é ganhar tudo e sempre**. Essa coisa de que o importante é competir é pura demagogia." – Ayrton Senna da Silva (CASTROPIL; MOTTA, 2010, p. 13) "Uma das melhores coisas do esporte é o que descobrimos quando aumentamos a pressão sobre nós mesmos. Descobrimos se podemos fazer melhor. Mas temos de nos esforçar. A energia que vocês põem nisso mal dá para passar o dia. Vocês dão mais de si mesmos em festinhas que neste time." (LEWIS, 2010, p. 79)

Ao abordar a liderança, o que se observa é o lugar do líder como o mobilizador, aquele que deve ser a referência para alcançar o resultado. Nesse sentido, a literatura adotada no campo da gestão sobre liderança encaixa-se no discurso dos autores analisados, quando é enunciado que, sem um processo de liderança, os atletas não conseguem alcançar os resultados esperados, inclusive na "missão" de alcançar o impossível.

Na perspectiva do trabalho em equipe, observa-se um tom de aconselhamento, um comportamento esperado a fim de que os resultados sejam alcançados, não obstante o fato de que, quando eles não o são, o que os autores fazem é propor o reconhecimento do outro – o famoso "espírito esportivo", segundo o qual vale muito mais a experiência da competição –, sobrepondo o resultado coletivo ao individual.

Ainda, vale considerar o discurso da superação, do sempre mais e melhor, numa asserção em que o atleta/profissional deve sempre extrapolar o que se esperava, e que esse resultado é mais bem-sucedido, uma vez que há a surpresa, o surpreendente, a vontade de quero mais.

De forma geral, as aforizações permitem compreender o lugar sagrado do atleta e a responsabilidade individual pelo sucesso alcançado. Nesse discurso, o atleta é o autor do sucesso da prática esportista, sendo seu mérito o lugar alcançado como líder, como integrante de uma equipe e como agente de superação de resultados.

4.3. Formações discursivas em conflito e o simulacro do trabalhador

O discurso "suor, superação e medalha", como visto anteriormente, insere-se no *pop management*, que, por sua vez, integra a formação discursiva dominante no pensamento de Administração, voltada para o gerencialismo e o funcionalismo, sendo essa formação denominada por seus autores como "gerente de resultado". O papel da literatura de esportes dentro desse contexto é conquistar visibilidade para as práticas comuns de gestão, visto que elas são exploradas como ferramentas para a obtenção do sucesso profissional para personalidades de alta visibilidade, que frequentam a mídia, tais como os atletas profissionais. Além disso, ao utilizar essa abordagem para narrar suas trajetórias, os esportistas implicitamente a tornam algo natural, que pode ser empregado em diferentes contextos, sem que haja preocupação nem questionamento sobre a viabilidade concreta dessa extrapolação e sobre o impacto que isso pode causar à saúde física e mental do trabalhador. Com referências explícitas ou implícitas ao discurso religioso, esse caráter messiânico do esportista, tal como é escrito e ressaltado através das enunciações aforizantes, também domestica o executivo que o consome, que passa a ser alguém voltado à obtenção de resultados da empresa, independentemente de outras considerações.

O simulacro do executivo, no entanto, não é explícito, mas, sim, encontrado por oposição ao que dá certo, segundo os livros de "suor, superação e medalha": o executivo que não aplica e aquele que aplica os conceitos aprendidos para os resultados positivos da organização, tais como ela os entende; o executivo que questiona a situação vigente e persegue outras alternativas abre o seu caminho em direção às conquistas profissionais e à conquista da "medalha" do esportista; aquele que não aplica terá o caminho dificultado e, muitas vezes, inviabilizado pelas suas próprias atitudes. Os atletas, ao escreverem os seus livros, frequentemente dão exemplos de companheiros de trajetória que não fizeram as mesmas escolhas que eles – muitas vezes se associando a práticas ilícitas, como a utilização de drogas – e, portanto, fracassaram em atingir seus objetivos ou até perderam a vida.

A seguir, alguns excertos encontrados no material pesquisado sobre essas ameaças implícitas àqueles que não se conformam:

> Muitas pessoas afirmam que bebem com responsabilidade. Como podem ter certeza disso? Como são capazes de se manter no controle da situação, mesmo sob influência do álcool? Como podem garantir que não se tornarão viciados? (DUNGY; WHITAKER, 2011, p. 113)

> Aos treze anos tive meu primeiro contato com a maconha. Eu nem sabia o que era aquilo, não sabia tragar [...] ainda bem que meus pais descobriram cedo meu envolvimento com a droga. (BELFORT, 2012, p. 82)

> [...] dois dias antes do início da temporada de jogos, oito jogadores foram pegos bebendo. Com uma única exceção, todos mentiram a respeito, antes de confessarem sob pressão. Fitz reuniu o time todo para uma conversa bastante dura. (LEWIS, 2010, p. 62)

O simulacro do esportista ideal é colocado em oposição a alguém absolutamente derrotado, punido por suas fraquezas e pela sua não conformidade às regras que estão postas para o seu desempenho profissional. E a punição pela não conformidade remete novamente ao discurso de autoajuda: a perda de tudo aquilo que lhe é mais precioso, até mesmo a saúde ou a própria vida. A esse simulacro, os autores denominam "o esportista decaído", aquele que não alcança a "glória", ou seja, os resultados, conforme eram esperados.

O esportista decaído fica sendo o estereótipo do profissional que não se destaca, que não alcança as metas, que não tem as características e as habilidades necessárias para ter sucesso e se aproximar dos "gurus" presentes.

5. CONCLUSÕES

A análise efetuada utilizando a AD no discurso "suor, superação e medalha", que se insere no *pop management*, demonstra seu alinhamento às práticas discursivas da escola gerencialista e funcionalista de Administração através de livros estruturados – por exemplo, manuais de administração –, como observado pelos trechos que tratam de planejamento e execução, que são fundamentados em uma visão naturalista e voltada para resultados da concepção tradicional da administração, com nenhuma preocupação emancipatória dos executivos que consomem essa literatura.

Além disso, a análise do interdiscurso do "suor, superação e medalha" aponta o tom que tal discurso apresenta, inspirado nos manuais de autoajuda, que prometem bons resultados para aqueles que seguem os exemplos estabelecidos. E, assim como nesses livros, os discursos são caracterizados como formas de se comportar bem, de viver adequadamente dentro das organizações.

As aforizações são intensamente utilizadas nessa literatura, com o objetivo de aproximar os exemplos esportivos das práticas cotidianas da administração. Temas como liderança, trabalho em equipe e superação são sustentados por enunciações aforizantes cujo tom não apenas remete ao discurso religioso, como ainda visa a domesticar o trabalhador e incentivá-lo a trabalhar dentro das regras da cultura gerencialista.

Em "suor, superação e medalha", percebe-se que esse discurso, inserido no *pop management*, se alinha à formação discursiva "gerente de resultado" e que os relatos esportivos oferecem visibilidade e credibilidade a essa formação. O simulacro do executivo que não se compromete com esse discurso é o de "esportista decaído", uma pessoa da qual não apenas os resultados esperados não são obtidos, mas que ainda é possuidora de vícios e de outros traços negativos de caráter.

Este estudo pode ser complementado com imersões em outros tipos de títulos que compõem o *pop management*, como aqueles escritos por "gurus" e por executivos de sucesso, para entender suas semelhanças e diferenças em relação aos livros escritos por esportistas e como o impacto por eles produzido se dá no executivo que os consome. Além disso, pode ser relevante entender o quanto dessa literatura é efetivamente colocado em prática no dia a dia pelos executivos e o que isso ocasiona ao executivo e à organização. Uma hipótese a ser mais estudada é se essa literatura dá conta da tarefa à qual se propõe e se existem impactos negativos que não são considerados e que, porventura, causem danos às organizações e a quem nelas trabalha. O próprio foco utilizado em "suor, superação e medalha" pode ser um dos vieses a ser empregado para que essa literatura seja repensada.

Como pesquisas futuras, sugere-se a análise, nas obras de *pop management*, do discurso presente na administração crítica e tão rico aos estudos organizacionais, da emancipação do trabalhador, sendo relacionado àquilo que Guerreiro Ramos (1981) propõe como valores emancipatórios, ou seja, os valores de mudança e aperfeiçoamento do social em direção ao bem-estar coletivo, à solidariedade, ao respeito à individualidade, à liberdade e ao comprometimento presentes nos indivíduos e no contexto normativo do grupo.

REFERÊNCIAS

BARBOSA, A. O.; COSTA, M. I.; OLIVEIRA, J. A.; ARAÚJO, R. M. Gerenciamento de impressões dos líderes carismáticos: um estudo de caso sobre o livro Transformando o suor em ouro, do líder Bernardinho. **Gestão e Planejamento**, Salvador, v. 12, n. 1, p. 4-21, jan./jun. 2011.

BELFORT, V. **Lições de garra, fé e sucesso**. Rio de Janeiro: Thomas Nelson, 2012.

BRUNELLI, A. F. Aforização no discurso de autoajuda. **Revista do GEL**, São Paulo, v. 8, n. 1, p. 125-137, 2011.

BRUNELLI, A. Notas sobre a abordagem interdiscursiva de Maingueneau. *In*: POSSENTI, S.; BARONAS, R. L. (org.). **Contribuições de Dominique Maingueneau para a Análise do Discurso do Brasil**. São Carlos: Pedro e João Editores, 2008. p. 13-26.

CARSON, M. **Os campeões**. Caxias do Sul: Belas Letras, 2015.

CARVALHO, J. L. F.; CARVALHO, F. A. A.; BEZERRA, C. O monge, o executivo e o estudante ludibriado: uma análise empírica sobre leitura eficaz entre alunos de Administração. **Cadernos EBAPE.BR**, Rio de Janeiro, v. 8, n. 3, p. 535-549, 2010.

CASTROPIL, W.; MOTTA, R. G. **Esportismo**: valores do esporte para a alta performance pessoal e profissional. São Paulo: Gente, 2010.

CASTROPIL, W.; MOTTA, R. G; SANTOS, N. M. B. F. Esportismo: competências adquiridas no esporte que auxiliam o atingimento da alta performance profissional. **Revista SODEBRAS**, Guaratinguetá, v. 12, n. 134, p. 25-30, fev. 2017.

CHACON, K.; MAGAN, R. O monge e o executivo: liderança, massificação ou disciplinarização? **Pensamento & Realidade**, São Paulo, v. 21, n. 1, p. 140-154, 2007.

CHIES, P. Z.; MARCON, S. R. A. literatura de *pop management*: a religião do trabalhador pós-moderno. **Contemporânea**, Porto Alegre, n. 6, p. 131-152, 2008.

DAVEL, E.; ALCADIPANI, R. Estudos Críticos em Administração: a produção científica brasileira nos anos 1990. **RAE: Revista de Administração de Empresas**, São Paulo, v. 43, n. 4, p. 72-85, out./dez. 2003.

DINIZ, A. **Caminhos e escolhas**. Rio de Janeiro: Elsevier, 2004.

DINIZ, A. **Novos caminhos, novas escolhas**. Rio de Janeiro: Objetiva, 2016.

DUARTE, M. P. F. C.; MEDEIROS, C. R. O. *Pop management* 15 anos depois: a incorporação do *pop management* no trabalho de executivos de grandes empresas. *In*: EnANPAD, 41., 2017, São Paulo. **Anais** [...]. São Paulo: Fundação Getulio Vargas, 2017.

DUNGY, T.; WHITAKER, N. **Fora do comum:** lições de integridade, ética e coragem de um dos maiores treinadores de futebol americano. Rio de Janeiro: Sextante, 2011.

FERGUNSON, A. **Liderança**. Rio de Janeiro: Intrínseca, 2015.

FURUSTEN, S. **Popular management books: how they are made and what they mean for organizations**. Londres: Routledge, 1999.

GERMANO, I. M. P.; SÁ, D. R. O discurso pastoral-gerencial em "O monge e o executivo". **Psicologia em estudo**, Maringá, v. 18, n. 1, p. 103-113, 2013.

GRAEBIN, F. O discurso do trabalho na literatura de autoajuda: os sete hábitos das pessoas altamente eficazes, de Stephen R. Covey, em análise. **EID&A**, Ilhéus, n. 5, p. 89-107, 2013.

GUERREIRO RAMOS, A. **A nova ciência das organizações:** uma reconciliação da riqueza e das nações. Rio de Janeiro: FGV, 1981.

ITUASSU, C. T.; TONELLI, M. J. Sucesso, mídia de negócios e a cultura do *management* no Brasil. **Cadernos EBAPE.BR**, Rio de Janeiro, v. 12, n. 1, p. 86-111, 2014.

JACKSON, P. **Onze anéis:** a alma do sucesso. Rio de Janeiro: Rocco, 2013.

JORDAN, M. **Nunca deixe de tentar**. Rio de Janeiro: Sextante, 2009.

KRYZYZEWSKI, M. **Liderar com o coração**. Rio de Janeiro: Sextante, 2016.

LEWIS, M. **Treinador:** lições sobre o jogo da vida. Rio de Janeiro: Sextante, 2010.

MAINGUENEAU, D. **Gênese dos discursos**. São Paulo: Parábola, 2008.

MAINGUENEAU, D. **Doze conceitos em análise do discurso**. São Paulo: Parábola, 2010.

MOTTA, R. G.; CORÁ, M. A. J. Uma crítica ao discurso da gestão da qualidade total a partir do pensamento de Maurício Tragtenberg.

In: EnANPAD, 41., 2017, São Paulo. **Anais** [...] São Paulo: Fundação Getulio Vargas, 2017.

MUSSALIM, F. Análise do discurso. *In*: MUSSALIM, F.; BENTES, A. C. **Introdução à linguística**: domínios e fronteiras. São Paulo: Cortez, 2012. v. 2. p. 113-165.

ORLANDI, E. P. **Análise de discurso**. Campinas: Pontes, 1999.

PAULA, A. P.; MARANHÃO, C. M. S. A; BARROS, A. N. Pluralismo, pós-estruturalismo e "gerencialismo engajado": os limites do movimento *critical management studies*. **Cadernos EBAPE.BR**, Rio de Janeiro, v. 7, n. 3, p. 392-404, 2009.

PICANÇO, M. F. **O poder da solução:** a construção do mercado de autoajuda (voltada a negócios). Dissertação (Mestrado em Sociologia) – Faculdade de Filosofia, Letras e Ciências Humanas da Universidade de São Paulo. São Paulo, 2013.

REZENDE, B. R. **Transformando suor em ouro**. Rio de Janeiro: Sextante, 2006.

SCHIMIDT, O. **Conquistando o sucesso**. Campinas: Komedi, 2009.

WOOD JR., T.; PAULA, A. P. P. de. *Pop management*. *In*: EnANPAD, 25., 2001, Campinas. **Anais** [...]. Campinas: Unicamp, 2001.

WOOD JR., T.; PAULA, A. P. P. de. *Pop management*: contos de paixão, lucro e poder. **Organizações & Sociedade**, Salvador, v. 9, n. 29, p. 39-51, 2002.

CAPÍTULO 6

UMA CRÍTICA AO DISCURSO DA GESTÃO DA QUALIDADE TOTAL A PARTIR DO PENSAMENTO DE MAURÍCIO TRAGTENBERG[9]

Rodrigo Guimarães Motta
Maria Amelia Jundurian Corá

RESUMO

Este artigo se propõe a analisar a gestão da qualidade total partindo dos estudos críticos e, em particular, da abordagem de Maurício Tragtenberg em seu livro *Burocracia e ideologia* (1977). Para tal estudo, foram adotados os três parâmetros dos Estudos Críticos em Administração (ECA), segundo Davel e Alcadipani (2003): ter uma visão desnaturalizada da administração, ter sua intenção desvinculada da performance e ter intenção emancipatória. A primeira parte do artigo tem como fundamentação teórica os Estudos Críticos em Administração, seguida de um enfoque na obra de Tragtenberg – em destaque, *Burocracia e ideologia* –, sendo que, como contraponto teórico, é utilizada a gestão da qualidade total como dinâmica oposta ao proposto pelos estudos críticos. A metodologia

---

[9]. Originalmente publicado na **RBEO: Revista Brasileira de Estudos Organizacionais**, v. 6, n. 2, p. 352-383, out. 2019.

adotada no trabalho foi a realização de um grupo focal, no qual se empregou como estímulo a exibição de trechos de filmes, a fim de permitir uma projeção do trabalho nas cenas apresentadas. A análise dos resultados obtidos na discussão com o grupo focal foi efetuada considerando-se três categorias: foco na eficiência e nos resultados, domínio da burocracia sobre o trabalhador e realização de atividades predefinidas e padronizadas.

Palavras-chave: Estudos Críticos em Administração. Maurício Tragtenberg. Gestão da qualidade total. Vendas.

1. INTRODUÇÃO

Os Estudos Críticos em Administração (ECA) ganharam espaço e interesse na academia a partir da década de 1980, constituindo-se como área temática na Academy of Management desde o início dos anos 2000, conforme registrado por Davel e Alcadipani (2003). O Brasil apresenta uma tradição própria nesse setor de estudo, independentemente das pesquisas realizadas nos Estados Unidos e na Europa, tendo, entre os primeiros acadêmicos a se dedicar ao tema, Guerreiro Ramos, nas décadas compreendidas entre 1950 e 1980, e Maurício Tragtenberg e Fernando Prestes Motta, entre as décadas de 1970 e 1990. Estudos críticos continuam a ser desenvolvidos no Brasil por novos pesquisadores que utilizam como ponto de partida tanto as perspectivas americanas e europeias quanto as perspectivas nacionais para elaborar seus próprios trabalhos, como Ana Paula Paes de Paula e Rafael Alcadipani, a partir da década de 2000.

Para a realização de análise crítica acerca de tais estudos, os autores deste artigo elegeram a gestão da qualidade total (GQT), uma abordagem da escola tradicional de Administração que surgiu na década de 1930 com Walter Shewhart e que depois se expandiu com estudos de acadêmicos em todo o mundo, principalmente nos Estados Unidos – com William Deming e Joseph Juran, que escreveram suas principais obras na década de 1980 – e no Japão – com Kaoru Ishikawa. No Brasil, incentivada pela iniciativa pública e privada e contando com organizações como a Fundação Nacional da Qualidade (FQN), a gestão da qualidade total também está consolidada nas organizações e na academia como uma teoria e uma prática necessárias para o desenvolvimento da competitividade organizacional.

Assim, este artigo se propõe a analisar uma das teorias das organizações partindo das referências propostas pelos estudos críticos dos pensadores brasileiros e, em particular, pela abordagem de Maurício Tragtenberg, na análise apresentada no seu livro *Burocracia e ideologia* (1977), originalmente sua tese de doutorado. Uma vez que, no livro citado, Tragtenberg realizou uma reflexão sobre as teorias da administração científica (representadas por Taylor e Fayol), da Escola de Relações Humanas (de Mayo) e da sociologia das organizações (de Weber), impôs-se a necessidade de ampliar essa reflexão com base na gestão da qualidade total, por sua relevância dentro da Administração nas últimas décadas e por seu discurso dominante, no qual

> a qualidade se converte, assim, em uma meta compartilhada, que todos dizem buscar. Inclusive aqueles que se sentem desconfortáveis com o termo não podem se livrar dele, vendo-se obrigados a empregá-lo para coroar suas propostas, sejam lá quais forem. (ENGUITA, 2015, p. 95)

A partir desse contexto, são estabelecidos três parâmetros para a identificação de um trabalho como sendo um Estudo Crítico em Administração, que são, segundo Davel e Alcadipani (2003), ter uma visão desnaturalizada da administração, ter sua intenção desvinculada da performance e ter intenção emancipatória.

A primeira parte do artigo tem como fundamentação teórica os Estudos Críticos em Administração, seguida de um enfoque na obra de Tragtenberg – em destaque, *Burocracia e ideologia* –, sendo que, como contraponto teórico, será utilizada a gestão da qualidade total como dinâmica oposta ao proposto pelos estudos críticos. A segunda parte apresentará a metodologia abordada no trabalho – a realização de um grupo focal, no qual se empregou como estímulo a exibição de trechos de filmes, a fim de permitir uma projeção do trabalho nas cenas apresentadas. E, finalmente, efetuou-se a análise dos resultados obtidos na discussão com o grupo focal, considerando três categorias: foco na eficiência e nos resultados, domínio da burocracia sobre o trabalhador e realização de atividades predefinidas e padronizadas.

2. OS ESTUDOS CRÍTICOS EM ADMINISTRAÇÃO

A mais recorrente motivação para os estudos na Administração é a busca de teorias e técnicas que contribuam para o aumento da eficiência, pois se acredita que isso permite o aumento da receita e da rentabilidade nas organizações. Como descrito por Martins e Martins (2012, p. 2),

> por longos anos, parece não haver produção alguma na administração que vá além do estudo da técnica e da disseminação da ideologia dos processos de produção capitalistas, restringindo os estudos organizacionais às técnicas de produtividade.

A teoria da administração, em suas diferentes ramificações e expressões, dedica-se a elaborar alternativas para tornar as empresas mais eficientes e mais rentáveis, especificamente ao que se chamou de administração científica, desde o final do século XIX e início do século XX, com Taylor e Fayol, seguidos por aqueles que desenvolveram a Escola de Relações Humanas, como Mayo, passando pelos que pensaram a qualidade total, a partir da década de 1930, como Shewhart, Deming e Juran, e os teóricos do marketing e da estratégia, entre os quais o autor mais citado é Porter.

Segundo Martins e Martins (2012), desde a década de 1970 – e com mais intensidade a partir da década de 1990 –, pensadores vão questionar essa linha de raciocínio majoritária dentro da Administração. Com formações e perspectivas distintas, eles vão se perguntar qual o impacto que a execução das teorias que prevalecem no campo administrativo causa no trabalhador que atua nas organizações.

Foi na década de 1970 que essa crítica, de acordo com Paula, Maranhão e Barros (2009, p. 395), começou a ser feita "por estudiosos das organizações, inspirados pelo pensamento marxista e pela sociologia do trabalho", embasados nos textos de Alvesson e Willmott (1992) e de Fournier e Grey (2000), determinando parâmetros para definir o que é considerado um trabalho crítico da teoria da administração.

Retomando os três parâmetros que demarcam os estudos críticos adotados por Davel e Alcadipani (2003), a visão desnaturalizada da administração é um contraponto às teorias dominantes da administração, que consideram a forma como as organizações se estabelecem e as relações que existem dentro delas como sendo naturais. A visão desnaturalizada entende que tanto as organizações quanto as relações estabelecidas foram criadas a partir de uma lógica de dominação, na qual o conflito de visões opostas se fez presente no seu desenvolvimento. Logo, segundo Davel e Alcadipani (2003, p. 75), "os ECA consideram a organização como uma construção sócio-histórica, tornando-se importante compreender como as organizações são formadas, consolidadas e transformadas no interior e no exterior".

Já a intenção desvinculada da performance significa que um ECA não está preocupado em estudar maneiras de incrementar os resultados das organizações, mesmo sob uma perspectiva de receita, rentabilidade ou eficiência de processos, que são o foco dos estudos convencionais de Administração: a ênfase está na busca por soluções para emancipar as pessoas. Quanto à intenção emancipatória, ela busca permitir que os indivíduos questionem as práticas a que estão subordinados dentro das organizações e, se essas práticas se revelam opressivas ou inibidoras do seu desenvolvimento, que isso seja demonstrado e tratado.

Percebe-se, por esses parâmetros apresentados, que os ECAs buscam inserir no contexto organizacional uma visão democrática que incentive a autonomia, a liberdade e a reflexão em oposição ao determinismo que prevalece na teoria tradicional, com ênfase no desempenho, desconsiderando o ponto de vista daqueles que estão inseridos dentro da organização e o potencial sofrimento associado à busca do atingimento de metas e de maior eficiência, sem levar em conta o indivíduo, suas características, medos, sonhos e pontos de vista. Ao analisar as críticas feitas que se encaixam em tais parâmetros, constata-se, conforme pontuado por Paula, Maranhão e Barros (2009, p. 394), que

> o pluralismo do movimento *critical management studies* é, de fato, uma característica marcante [...], pois em nossa pesquisa pudemos averiguar a diversidade de *streams* nas conferências bianuais, bem como a multiplicidade de abordagens epistemológicas na produção intelectual de seus participantes.

Davel e Alcadipani (2003) vão destacar três corpos teóricos na elaboração dos ECAs: os modernistas, representados pelos marxistas e pelos pensadores da Escola de Frankfurt; os pós-analíticos que, segundo os autores, representam diversas correntes contemporâneas, como o pós-modernismo e o pós-estruturalismo; e os feministas, conforme abordado por Paula, Maranhão e Barros (2009).

Por afinidade e foco, a crítica que foi realizada neste artigo elegeu um dos autores nacionais de maior destaque, Maurício Tragtenberg, como referencial para o questionamento efetuado. Dessa forma, cabe uma sucinta apresentação desse pensador.

3. TRAGTENBERG E A *BUROCRACIA E IDEOLOGIA*

Neto de judeus ucranianos, Maurício Tragtenberg nasceu no Rio Grande do Sul. Machado e Valverde (2016) relatam que, durante a infância e a adolescência, em seu estado natal e em São Paulo, não cursou a escola de forma regular, mas participou de discussões nas ruas com representantes dos movimentos operários e sindicais. Lia muito, de forma desordenada a princípio, até se aproximar da família Abramo, que lhe apresentou textos socialistas. Entre discussões, leituras, atuações nos movimentos sindicais e partidários (foi expulso do Partido Comunista Brasileiro – PCB –, o que prenunciava as críticas que faria em sua obra dedicada à burocracia, comprometendo a experiência comunista), seguiu seus estudos de forma pouco ortodoxa, conforme ele mesmo apresentou em seu memorial:

> Apesar de uma "formação" não convencional e de uma trajetória pós-graduada não convencional, também acredita o candidato ter conseguido acumular um mínimo de "capital cultural" para lidar com o ensino e pesquisa acadêmicos e manter uma atividade extra-acadêmica dirigida aos trabalhadores através de uma coluna sindical na imprensa diária paulista. (TRAGTENBERG, 1991, p. 79)

Tragtenberg se graduou em História, na USP, em 1960. Iniciou sua vida profissional nas carreiras de jornalista e professor – inicialmente, de ensino fundamental e, depois, de ensino superior –, ainda que prejudicadas pela perseguição do regime militar que se iniciava no Brasil. Foi primeiramente na PUC-SP, depois na FGV EAESP e, finalmente, na Unicamp que encontrou guarida e pôde dar prosseguimento à sua trajetória acadêmica, obtendo o doutorado em Ciências Sociais na USP em 1973. Sua tese foi publicada posteriormente em forma de livro, com o título *Burocracia e ideologia*.

> [...] o ano de 1964 não existiu enquanto produção intelectual. Foi a época em que tive um esgotamento nervoso e fiquei internado no Instituto Aché durante 90 dias. Porém isso me fora muito útil, pois, se eu fora demitido dos cargos docentes, através do AI de 1964, a 09.10.64, pude observar e analisar o poder médico num hospital psiquiátrico tradicional e a burocratização da prática médica. Isso ampliou minha visão de poder e burocracia nas instituições, que se iniciara quando escriturário no Departamento das Águas. Mais do que isso, solicitei livros à minha mulher, pude lê-los com a aquiescência médica e durante esses 90 dias estruturei as linhas gerais da minha tese de doutorado, o que defenderia na área de Política da USP, *Burocracia e ideologia*. (TRAGTENBERG, 1991, p. 85)

Segundo Machado e Valverde (2016, p. 41),

> Maurício foi um intelectual descolonizado. Sua formação de autodidata lhe deu forte característica de não se curvar aos modismos, europeus ou caboclos, muito menos de entrar em igrejinhas e seitas acadêmicas, que aparecem e somem como vieram.

Escreveu sobre administração, educação, literatura, sociologia, vida acadêmica, entre outros temas. Em todos os seus escritos, manteve o viés crítico e desafiador. Sua formação heterodoxa, fundamentada no Marxismo, na Política e na Sociologia, fez com que, desde seu primeiro livro, Tragtenberg construísse um pensamento original. Prestes Motta (2001, p. 64) o descreveu como "não apenas um grande sociólogo, mas também um dos fundadores mundiais da teoria crítica das organizações, hoje um campo prolífero em vários países". Faleceu precocemente, em 1998, então professor da PUC-SP, o que não o impediu de ser ainda um dos autores mais referenciados nos ECAs brasileiros até os dias atuais.

Em *Burocracia e ideologia* (1977), o autor faz análise da burocracia como classe e como elemento de dominação. A obra se inicia com uma análise do modo de produção asiático. Ele, primeiramente, conceitua burocracia a partir da abordagem hegeliana e demonstra que, desde suas primeiras manifestações nas sociedades asiáticas da antiguidade até os tempos recentes, a burocracia exerce seu papel de dominância e de exploração das classes trabalhadoras em prol do detentor do poder político, um déspota nessas sociedades. Em sociedades como a chinesa, a egípcia, a indiana e a russa, o Estado é o principal proprietário das terras. Com a cobrança de impostos, que representam a extração de mais-valia das aldeias, o déspota pode contratar uma burocracia que o auxilia não somente na cobrança dos impostos, como também na realização de obras públicas.

Com o decorrer do tempo, a burocracia passa a ser uma classe independente, responsável pela manutenção e prosperidade do regime despótico e com interesses próprios. Seu desenvolvimento é feito através do *éthos* burocrático, em que predominam o formalismo, a boa formação e a racionalidade, cujos representantes, por excelência, são os mandarins chineses.

No século XX, ainda que durante o comunismo, as organizações produtivas eram controladas pelo Estado; logo, o mesmo corpo burocrático estendia sua dominação ao Estado e às empresas. Com o desenvolvimento do capitalismo no Ocidente, a burocratização – como forma de controle e desenvolvimento – migra do Estado para a organização privada. Após a Segunda Revolução Industrial, segundo Mason (2017, p. 135),

> por todo o mundo desenvolvido, o novo paradigma técnico-econômico era claro, mesmo que cada país tivesse sua própria versão dele. A produção em massa padronizada – com salários altos o bastante para impulsionar o consumo do que as fábricas produziam – expandiu-se por toda a sociedade.

Para alavancar esse novo modelo econômico, surgem, no início do século XX, os primeiros teóricos da Administração.

Para Tragtenberg (1977, p. 71),

> [...] a grande empresa por suas dimensões e influência monopolística no mercado permite planejamento a longo prazo da produção... a grande divisão do trabalho entre os que pensam e os que executam se realiza na grande empresa. Aqueles fixam o progresso da produção, descrevem os cargos, fixam funções, estudam métodos de administração e normas de trabalho.

Prestes Motta (1985) contribui para a compreensão trazida por Tragtenberg ao referir-se à transformação sofrida pelas organizações a partir de relações de poder, de controle e de alienação legitimadas pela divisão entre dirigentes e dirigidos, atribuindo funções estratégicas separadas, de acordo com a lógica e as necessidades da sociedade burocrática.

O primeiro pensador da administração científica criticado por Tragtenberg foi Frederick Winslow Taylor, que, a partir de estudos de tempos e movimentos, define padrões que devem ser obtidos em cada uma das etapas da produção pelos trabalhadores. O foco dessa abordagem está na forma como as tarefas são realizadas, e não no porquê. Para Tragtenberg (1977, p. 72), Taylor estabeleceu que

> os que executam devem ajustar-se aos cargos descritos e às normas de desempenho. Aí, a capacidade do operário tem um valor secundário, o essencial é a tarefa de planejamento. A especialização extrema do operário, no esquema de Taylor, torna supérflua sua qualificação.

Portanto, a burocracia, a partir da premissa taylorista, legitima seu papel de dominação sobre a massa de trabalhadores.

É muito importante salientar que o papel das organizações burocráticas não é apenas produzir bens, capital, serviços, pessoas, nem mesmo ideias e imagens. O papel social das organizações burocráticas também não se detém a reproduzir a mão de obra, ou a força de trabalho, por meio do salário que garante sua sobrevivência. O papel das organizações burocráticas vai além mesmo da reprodução das desigualdades sociais e culturais. O papel das organizações burocráticas se manifesta concretamente no exercício do controle social que se torna possível pelas relações de poder, que são sempre relações entre desiguais. (PRESTES MOTTA, 1985, p. 44)

Na abordagem crítica trazida por Tragtenberg e reiterada por Prestes Motta, a adoção de um modelo burocrático de organizações — e, consequentemente, de sociedade — é uma escolha ideológica de reprodução do controle e de dominação, enfraquecendo a função social do trabalhador, na medida em que ele mesmo se aliena do seu papel no processo produtivo.

Outro pensador da administração científica, Fayol, inspirado na lógica militar, complementa a teoria de Taylor, enfatizando a unidade do comando, sustentado por hierarquia e disciplina rígidas, em que o papel do burocrata era prever, organizar, comandar e controlar os trabalhadores a ele subordinados. É nesse modelo, segundo Tragtenberg, que surge a alienação do trabalho, que passa a ser definido por um enunciado de regras e tarefas. Isso gera insatisfação pela mediocridade das atribuições assumidas e também em razão dos menores salários, perante a falta de especialização nas áreas determinadas, tão necessária para a realização das atividades.

Como resposta à organização sindical das classes trabalhadoras, que passam a buscar melhores condições de trabalho, a burocracia elegerá, na década de 1920, a Escola de Relações Humanas, representada por Elton Mayo, como alternativa ao conflito. Outrossim,

Mayo reforça ainda mais a burocracia, legitimando-a como uma elite administrativa dominante, e, através da Psicologia, procura estabelecer a harmonia administrativa, utilizando estímulos variados, tais como maior tempo de descanso e alguns símbolos de prestígio para reduzir a tensão existente nas organizações.

Prestes Motta (1985) aponta que a hierarquia burocrática se sustenta na divisão entre os que planejam e os que executam, entre os dirigentes e os dirigidos, percebendo-se nessa dinâmica uma reprodução do capital, que segue a mesma ordem, a fim de criar uma divisão do trabalho e da hierarquia como determinantes da estratégia capitalista.

Finalmente, Tragtenberg apresenta Weber, contextualizando a obra do pensador no período histórico em que viveu, a segunda metade do século XIX e o início do século XX, no qual a Alemanha passou por acelerado processo de industrialização, conduzido pela burocracia, tanto no âmbito do Estado como no das organizações. Weber (1944), que junto com Durkheim e Marx é considerado um dos fundadores da Sociologia, escreveu que o objeto de estudo dessa área é a ação social, propondo-se a estudá-la, ainda que, para melhor entendimento da realidade social, seja necessária a elaboração de tipos ideais que, se não existem de fato, representam um conjunto significativo da população. Em função do avanço do capitalismo, a burocracia que domina o Estado e as organizações incentiva a racionalização: "racionalizar o trabalho significa aumentar a mais-valia, isto é, a mais-valia que se obtém com a intensificação do trabalho" (PRESTES MOTTA, 1985, p. 21).

Para Moraes, Maestro Filho e Dias (2003, p. 66):

> Weber entendia a burocracia como um tipo de poder, igualada à organização, considerada como um sistema racional onde a divisão do trabalho se processa racionalmente em função dos fins propostos, no qual predomina a ação racional burocrática que demanda coerência da relação entre meios e fins (objetivos esta-

belecidos). Além disso, ele entendia que a burocracia implicava predomínio do formalismo, da existência de normas escritas, da estrutura hierárquica, da divisão horizontal e vertical do trabalho e, finalmente, da impessoalidade do recrutamento de pessoal.

Tragtenberg insiste que Weber não pode ser culpado pela burocracia exercer um papel opressor e alienante, que ele não foi seu ideólogo e, sim, o primeiro a descrevê-la a partir de uma perspectiva sociológica.

Crítico implacável da burocracia e da sua dominação, causadora de alienação, sofrimento e vida sem autonomia, Tragtenberg, em seu primeiro livro, demonstra como a teoria da administração foi construída de forma a legitimar e a fortalecer a posição dos burocratas. Para tanto, utiliza o pensamento sociológico, em especial o de Marx e Weber. Como escreveu,

> [...] a teoria da administração, até hoje, reproduz as condições de opressão do homem pelo homem; seu discurso muda em função das determinações sociais. Apresenta seus enunciados parciais (restritos a um momento dado do processo capitalista de produção) tornando absolutas as formas hierárquicas de burocracia de empresa capitalista ou coletivista burocrática onde capital é encarado como bem de produção, inerente ao processo produtivo, trabalho complemento do capital, a maximização do lucro objetivo da empresa, burocracia hierárquica, expressão natural da divisão do trabalho. A teoria geral da administração dissimula a historicidade de suas categorias que são inteligíveis num modo de produção historicamente delimitado, são como expressão abstrata de relações sociais concretas, fundadas na apropriação privada dos meios de produção, que permitem a conversão do negro em escravo, a emergência do príncipe no pré-capitalismo, do burguês após a revolução comercial, do cidadão

na revolução francesa e do quadro no burocratismo soviético. (TRAGTENBERG, 1977, p. 216)

Parte-se, então, da compreensão de que as teorias que apoiam o campo da Administração são fruto de contextos históricos demarcados, nos quais faz sentido a incorporação ideológica de uma sociedade de organização em que essas teorias têm papéis de controle e dominação, fazendo o trabalhador criar uma relação de dependência e alienação, a fim de que se possa garantir a ordem e a manutenção de uma sociedade capitalista para produzir e consumir cada vez mais.

A alternativa trazida por Tragtenberg, a desconstrução desse modelo de administração social-ideológico da burocracia, seria a autogestão, com base na qual o autor defende a organização como um todo, feita por representações. Sendo assim, as decisões devem ser tomadas a partir da discussão das bases até chegar aos níveis hierárquicos superiores, constituindo organismos de deliberação que venham a expressar o pensamento e o interesse coletivo.

É a partir da crítica à burocracia e às teorias da administração realizada por Tragtenberg em *Burocracia e ideologia*, combinada com a pesquisa efetuada, que será analisada uma das melhores práticas consolidadas na teoria convencional da administração, a GQT. Especificamente, a pesquisa efetuada abordará três características apontadas no livro e como elas se manifestam na GQT: a realização de atividades predefinidas e padronizadas, abordadas quando o autor fala sobre a administração científica – em especial, dos estudos de Taylor; o domínio da burocracia e o impacto que isso causa aos trabalhadores, que se encontram descritos, principalmente, quando Tragtenberg analisa a obra de Weber; e o foco na eficiência e nos resultados, que todos os autores da teoria de administração estudados no livro – Taylor, Fayol e Mayo – privilegiam na sua abordagem e que também é o objetivo final da burocracia, tal como a descreveu Weber.

4. A GESTÃO DA QUALIDADE TOTAL

Após a Segunda Revolução Industrial, que ocorreu no final do século XIX e início do século XX, a partir da década de 1930, as indústrias passaram a ser desafiadas a entregar produtos com qualidade superior e padronizada, de forma a atender às expectativas dos consumidores, sempre que adquirissem seus produtos. O primeiro a desenvolver uma metodologia de controle da qualidade, embasada em análises quantitativas, foi Shewhart (1931), nos Estados Unidos, depois do qual seus discípulos, Deming (1982) e Juran (1980), promoveram o controle da qualidade pelo país, por meio de livros, palestras e treinamentos.

Enquanto a administração científica e seus estudos de tempos e movimentos buscavam o tempo máximo dos operários, o controle da qualidade total enfocava os tempos ótimos, em que as metas de produção eram cumpridas, os produtos saíam das linhas de produção atendendo aos padrões preestabelecidos e com o mínimo de desperdício possível. Para que isso fosse alcançável, os processos produtivos eram analisados, parâmetros ótimos eram determinados e, em seguida, manuais eram escritos detalhadamente, para que os trabalhadores dos diferentes turnos de produção e estabelecimento fabris pudessem aplicar o que foi definido. O acompanhamento da obtenção dos valores instituídos era feito com a utilização de ferramentas estatísticas, por meio das quais o atingimento das metas produtivas e a redução das perdas podiam ser observados.

Com a vitória dos Estados Unidos na Segunda Guerra Mundial, o país, por meio de investimentos, reconstruiu as economias arruinadas pelo conflito e exportou as melhores práticas de gestão administrativa. Uma delas foi a qualidade total, e Deming e Juran foram até o Japão realizar palestras sobre os seus estudos e trabalhos acerca do tema. Os japoneses reconheciam a utilidade da proposta quanto ao aumento da receita, da rentabilidade e da eficiência da empresa, e adotaram o modelo nas suas organizações.

Ainda que o conceito de GQT – em que a qualidade total deixa de ser uma ferramenta de controle das linhas produtivas e passa a ser uma ferramenta de gestão com a qual a burocracia busca a máxima eficiência em todos os departamentos, como o financeiro, o logístico e o de vendas – já tivesse sido considerado nos Estados Unidos, foi no Japão, a partir dos seus estudiosos do tema, como Ishikawa (1985), que a GQT viria a se consolidar e a assumir sua função de contribuir com o aumento de eficiência e da produtividade das organizações.

Segundo Besterfield (2003, p. 1), a GQT pode ser definida como

> uma filosofia e um conjunto de princípios norteadores que representam o alicerce de uma organização em permanente aprimoramento. É a aplicação de métodos quantitativos e recursos humanos para melhorar todos os processos da organização e atender às necessidades dos clientes hoje e no futuro.

Para esta pesquisa, foi eleito o departamento de vendas como aquele a ser estudado a partir da GQT.

No Brasil, a GQT chega incentivada tanto pela burocracia estatal, que buscava tornar as organizações brasileiras mais eficientes para competir no mercado global, quanto pelas indústrias multinacionais, que importavam o conceito de suas matrizes, como também pelas indústrias nacionais, que realizavam visitas técnicas a outros mercados, como os Estados Unidos e o Japão. Organizações da sociedade civil foram constituídas para promover o desenvolvimento da GQT, sendo que, além de oferecer cursos, a mais conhecida delas – a Fundação Nacional da Qualidade (FNQ), que completou 25 anos em 2016 – instituiu o Prêmio Nacional da Qualidade, que reconhece as empresas mais comprometidas com a implementação da GQT (FERNANDES, 2011).

Pelo histórico e pela descrição da GQT, fica claro que sua abordagem é alinhada com a linha *mainstream* e majoritária da teoria da administração, que busca melhorar os resultados e a eficiência das organizações e utiliza a burocracia das empresas para impor os conceitos previamente estipulados aos trabalhadores. Davel e Alcadipani já mencionaram esse papel da GQT (2003, p. 78):

> No que se refere à temática da ideologia, as pesquisas tendem, globalmente, a enfocar de que maneira a burocracia flexível, as teorias pós-fordistas, os meios de comunicação, a qualidade total, a reengenharia e as novas tecnologias constituem-se em mecanismos ideológicos e de controle no âmbito da organização.

Faria e Oliveira (1999, p. 9) concordam, ao afirmar:

> A qualidade total trabalha o recalcamento, pois cria um lugar simbólico-imaginário conveniente à sua ideologia, em que o indivíduo pode, sem culpa, ignorar suas impossibilidades. A dominação psicossocial que se encontra por debaixo dos programas de qualidade cria as condições para que o indivíduo confie, idealize e comprometa-se com a organização.

O artigo se propõe a uma reflexão sobre a GQT, utilizando o pensamento de Tragtenberg, ao examinar os primeiros pensadores da teoria de administração. Além da reflexão, tendo como base a teoria, os autores deste trabalho também realizaram uma pesquisa de campo para demonstrar como a GQT é utilizada pela burocracia como ferramenta de dominação e alienação do trabalhador, que será descrita a seguir.

5. METODOLOGIA

Este é um estudo qualitativo, cujo objetivo consiste em compreender qual o impacto da GQT na perspectiva dos trabalhadores que são inseridos nesse tipo de programa.

Para realizar a crítica, foram selecionados trabalhadores que participaram de um programa de GQT dentro da área de vendas e *merchandising* de uma indústria de bens de consumo líder do segmento na categoria bebidas, cujo faturamento anual é superior a 100 milhões de reais. Foi constituída uma amostra intencional de sete trabalhadores, com diferentes cargos dentro da área de vendas e que, como pré-requisito, tivessem participado de um programa de GQT por ao menos um ano. O Quadro 1 fornece mais detalhes da amostra selecionada.

Quadro 1 – Amostra de trabalhadores em 2019.

	Entrevistados	Tempo de experiência em GQT
E1	Promotor líder de *merchandising*	3 anos
E2	Gerente de vendas e *merchandising*	6 anos
E3	Promotor líder de *merchandising*	3 anos
E4	Promotor líder de *merchandising*	3 anos
E5	Promotor líder de *merchandising*	6 anos
E6	Promotor líder de *merchandising*	3 anos
E7	Promotor líder de *merchandising*	2 anos

Para compreender como o discurso da GQT impactou a percepção e a realização do trabalho, foram selecionadas três dimensões críticas extraídas do livro *Burocracia e ideologia*: a realização de atividades predefinidas e padronizadas, o domínio da burocracia sobre o trabalhador e o foco no resultado e na eficiência.

A metodologia da pesquisa foi a de grupo focal, a qual, segundo Carey (1996, p. 226, tradução livre), é "uma sessão em grupo semiestruturada, moderada por um líder, realizada em um local informal, com o propósito de coletar informações sobre um determinado tópico". No grupo focal, os participantes foram instigados a expor suas percepções acerca das identificações experimentadas com as cenas exibidas e o seu cotidiano de trabalho no programa de GQT.

Para aproximar os participantes das questões-alvo e da sua rotina de trabalho dentro do programa de GQT, sem que fossem tomadas como conotação abstrata, eles foram expostos em grupo a trechos de três filmes, cada um dos quais se referindo a uma das dimensões selecionadas.

A proposta de usar filmes como fator instigante advém do fato de o cinema promover um "fenômeno espantoso em que a ilusão da realidade é inseparável da consciência realmente de que ela é uma ilusão, sem que, no entanto, essa consciência destrua o sentido de realidade" (MORIN, 1977, p. 17). Assim, o filme dispõe da capacidade de fazer com que os indivíduos reconheçam seus próprios gestos, ritos e signos; ele proporciona uma leitura da realidade a partir das personagens e colabora para que o diálogo aconteça de forma mais efetiva.

O uso de cinema é tratado por Morin (1977, p. 65) como "uma maravilha antropológica, devido, precisamente, a essa sua adequação para projetar como espetáculo uma imagem apercebida como reflexo exato da vida real".

Os três filmes selecionados foram os descritos abaixo, aos quais correspondem as três dimensões críticas já explicitadas:

- *Um Senhor Estagiário* (2015) – realização de atividades predefinidas e padronizadas;
- *Os Incríveis* (2004) – domínio da burocracia sobre o trabalhador; e
- *Amor Sem Escalas* (2009) – foco no resultado e na eficiência.

Sob a supervisão do líder, os participantes puderam dar sua opinião e interagir no grupo, a fim de analisar criticamente como essas questões afetam seu trabalho e o quanto foram impactados pelo programa de GQT. Aqui, foi possível verificar uma das vantagens da técnica de grupo focal, pois, ao contrário de ferramentas como questionários, em que não é possível a interação entre os participantes, a compreensão da situação como um todo nesse tipo de grupo é revelada pela interação dos participantes. Os depoimentos e as discussões resultantes foram filmados para análise posterior.

6. DISCUSSÃO DOS RESULTADOS

O grupo focal teve a duração de três horas e foi mediado por um dos autores deste artigo. Para esse trabalho, foram consideradas três categorias para análise da fala dos participantes do grupo: foco na eficiência e nos resultados, domínio da burocracia sobre o trabalhador e realização de atividades predefinidas e padronizadas.

6.1. Foco na eficiência e nos resultados

A primeira cena apresentada aos participantes da pesquisa foi extraída do filme *Amor Sem Escalas*, lançado em 2009, que tem como foco a eficiência e o resultado, ambos criticados na obra de Tragtenberg.

No filme, George Clooney é Ryan Bingham, um especialista em demitir pessoas. A empresa em que ele trabalha é contratada por outras organizações para realizar as demissões necessárias. Bingham passa a maior parte do tempo viajando pelos Estados Unidos demitindo pessoas. Tudo isso vai mudar quando seu chefe contrata uma jovem para redesenhar a metodologia de trabalho.

Na cena escolhida para o grupo focal, Bingham visita inúmeras empresas e, em todas elas, efetua as demissões para as quais foi contratado. As reações das pessoas variam, mas todas demonstram muito sofrimento e outros sentimentos negativos com a perda do emprego. Seu foco no resultado é total, e ele contorna as objeções com um discurso ensaiado e persuasivo. Tudo é feito com muita eficiência, inclusive as atividades que ocorrem desde o seu deslocamento entre uma demissão e outra até os trâmites pelos quais ele passa em aeroportos, concessionárias de veículos e hotéis.

Quando perguntado ao grupo o que cada um achou da cena selecionada, a primeira fala referiu-se à busca pela resposta sobre os motivos da demissão. Para o E4, "as pessoas procuram o motivo, pois trabalhavam bem e não sabiam o porquê de elas terem sido demitidas, e com isso elas estavam se culpando". Nessa mesma perspectiva, o

E1 complementou quanto à necessidade de "descobrir onde estava o erro", e ambos concordaram que a demissão não tem "culpados" e que, dependendo da interpretação, pode se transformar numa oportunidade de crescimento.

O E2 estabeleceu uma analogia entre as empresas e uma fortaleza: "Para a pessoa que está empregada, é difícil ser demitida por uma pessoa que ela nem conhece. Eu vi que gerou uma dúvida – 'nem conheço esse cara que tá me demitindo, o cara entra aqui como um oficial, sem motivo, e demite' –, pois ele nem mais vai ver esse cara".

No caso, considerando a abordagem adotada por Tragtenberg, os funcionários ainda têm alto vínculo com a instituição e, dessa forma, ser demitido é algo que, para eles, acaba correspondendo a uma derrota pessoal. Quanto a um processo ideológico, entende-se que a busca por resultados justifica a demissão daqueles que não respondem às metas definidas ou ao estilo de trabalho adotado.

O protagonista segue um processo de trabalho bem planejado, com discurso predeterminado, no qual as reações dos demitidos são respondidas conforme o perfil de cada um, de forma vaga e sem muito comprometimento, pois o protagonista é somente um consultor que executa a demissão, dentro de um processo mais complexo.

Com base nesse olhar, o E3 deixou claro que seguir o passo a passo tem relação direta com a boa execução do resultado pretendido: "O cara é contratado pra isso, ele tem na cabeça todo um planejamento pra saber como conduzir: se o cara conduzir assim, tem que ir por aqui. É um profissional bastante confortável com o trabalho".

Mais uma vez, os entrevistados reiteraram que a demissão se justifica se o demitido não responde ao esperado, como o E7 afirmou: "Tem muita gente que fica acomodado, fica sete anos na empresa e não sai daquela rotina. Eu posso estar naquela mesma situação, mas tenho que inovar", ao que o E1 complementou, afirmando que "o excesso de confiança faz com que a pessoa renda menos. Eu tô aqui há dez anos; pra que vou ficar me matando? A famosa zona de conforto".

Outro ponto interessante abordado pelos entrevistados foi a valorização da existência de um sistema de excelência que impede que os funcionários se acomodem quanto ao alcance de metas e resultados para a organização: "A pessoa tem sua missão mês a mês; se ela não cumprir a missão dela, ela vai mostrar pra empresa que está regredindo, e isso pode ocasionar uma possível demissão". Quando questionados sobre as pessoas que não se encaixam no programa, por unanimidade, foi dito que essas pessoas deveriam ser substituídas.

O E4 afirmou que "às vezes a pessoa não se encaixa porque não quer: ela quer viver em um outro parâmetro, ou [há] as que não sabem, mas querem aprender"; e a esse respeito o E7 complementou, falando sobre a existência de testes mensais, nos quais é possível observar se alguém está ou não interessado no trabalho. Para o E2, "as pessoas que não se encaixam são aquelas que não trabalham com metas, que não estudam, não têm comprometimento com a ferramenta do programa de excelência [...] Os que não estão preparados ficam pra trás".

Essas falas demonstram a responsabilização do funcionário quanto à necessidade de inovar e promover resultados melhores para o trabalho executado. Essa situação pode contribuir para uma sobrecarga no trabalho que, muitas vezes, se incorpora ao cotidiano do trabalhador, sem que ele saiba ao certo se essas atividades cabem como atribuição do trabalho a ser executado.

Para Tragtenberg (1977, p. 216),

> o processo produtivo capitalista caracteriza-se pela produção e reprodução ampliada do capital; neste contexto, a informática cumpre o papel de reforçar o sistema capitalista, revelando as relações de poder, racionalizando e diminuindo o custo da reprodução ampliada do capital.

Dessa forma, o uso de sistemas nos programas de excelência pode ser compreendido como uma ferramenta de produtividade, ou seja, uma forma de garantir a eficiência organizacional, sobrepondo os interesses individuais dos trabalhadores.

Quando questionado qual era o entendimento dos entrevistados em relação à eficiência no trabalho, o E2 reiterou que eficiência era realizar o trabalho de forma proveitosa, era "a inquietação da pessoa [...] a eficiência é algo que é meu, é chegar e fazer diferente, é não fazer o convencional, é fazer o programa do começo ao fim". Ele acrescentou, dizendo que "é o comprometimento, é uma comunicação eficiente [...] a disciplina, na verdade, é o que rege a gente".

Trazendo a crítica de Tragtenberg (1977, p. 197) em relação aos estudos de Mayo e à Escola de Relações Humanas, essa fala reitera o uso da "comunicação como fórmula salvadora da administração", a respeito do que Tragtenberg (1977, p. 198) questiona:

> A Escola de Relações Humanas define-se como uma ideologia manipulatória da empresa capitalista num determinado momento histórico de seu desenvolvimento. Acentua a preferência do operário fora do trabalho pelos seus companheiros, quando na realidade ele quer, após o trabalho, ir a casa; essa é sua maior satisfação. Valoriza baratos símbolos de prestígio, quando o operário procura maior salário.

Essa abordagem mostra que os programas de qualidade total têm aderência e que a valorização proposta pela Escola de Relações Humanas transforma as práticas em processos ideológicos alinhados aos interesses dominantes das empresas. Assim, muitas ferramentas são constituídas como instrumentos de alienação dos trabalhadores e, consequentemente, como forma de reprodução de um discurso dominante em que o trabalhador deve ser eficiente e buscar os resultados, conforme as metas que as organizações estabelecem para o seu crescimento econômico.

6.2. Domínio da burocracia sobre o trabalhador

Para abordar essa característica, foi escolhido o desenho animado *Os Incríveis*, de 2004. De acordo com a história contada nessa animação, houve uma época em que os super-heróis eram admirados e respeitados pela humanidade. Porém, a forma como desempenhavam suas atividades começou a ser questionada, e eles foram aposentados pelo governo, que providenciou novas identidades para que os heróis se adaptassem à vida comum. Beto Pera, um dos heróis mais destacados, hoje está casado com uma ex-heroína, tem filhos, uma casa e um trabalho monótono de escritório. Novos acontecimentos irão tirá-los dessa aposentadoria compulsória, da qual, na verdade, eles não gostavam.

Na cena apresentada ao grupo focal, Beto é chamado à sala do seu superior. Visivelmente desconfortável, sentado em uma cadeira minúscula e usando a mesma camisa e gravata que todos os funcionários do escritório usam e que caem mal no seu corpo imenso, ele é repreendido pelo chefe, uma pessoa pequena e irritante que sempre se repete nesse tipo de situação. Beto aceita tudo de forma submissa, até que o superior o impede de intervir em um assalto que ocorre em frente ao escritório. Furioso, o personagem revela sua força e agride o chefe, que é hospitalizado, o que faz com que Pera perca o emprego.

Foi possível observar que a burocracia é identificada pelos entrevistados como uma ferramenta opressora. Para o E1, a cena representou "a questão de o chefe estar por cima e achar que pode tudo, pode humilhar o funcionário. A autoridade ser uma coisa opressora, mesmo, isso é muito errado". O E2 complementou: "Esse modelo de burocracia gera muito estresse. O ser humano aguenta porque ele acha que precisa, porque tem que pagar as contas". A fala de E3, ainda sobre isso, relatou que, "nos dias de hoje, é muito importante cobrar da forma certa, tem que ter didática, sem passar do limite. Assim, o funcionário vai trabalhar melhor, sem precisar colocar o dedo na cara".

Esse domínio opressor, ao qual os subordinados são obrigados a se submeter como única maneira de assegurar seu salário para garantir a sua subsistência e a de sua família, foi apontado por Tragtenberg (1977, p. 190), quando escreveu que "a burocracia [...] defende-se [...] pela coação econômica, pela repressão política".

Além disso, a hierarquia e as regras estabelecidas pela burocracia para a condução das atividades rotineiras acabam por desumanizar o trabalhador, que passa a ser tratado como um objeto, e não como uma pessoa com anseios, necessidades e vulnerabilidades. O E1 descreveu uma situação pessoal: "Eu me machuquei na loja. Travaram as minhas costas, não conseguia andar. Tive que ser levado até o pronto-socorro". E, logo após, acrescentou: "Quando liguei pro meu chefe, ele releu por telefone pra mim o manual de segurança do trabalho e pediu pra eu enviar por e-mail o atestado médico. Nem perguntou como eu estava. Ele não estava preocupado comigo, só usou a parte burocrática".

Após a apresentação desse exemplo, todos os entrevistados concordaram e passaram a dar exemplos semelhantes de experiências pelas quais tinham passado. O E4, ao fazer uma comparação entre o filme e os exemplos apresentados, declarou que, "em todos os casos, o chefe não tentou ajudar o subordinado, não fez o que deveria fazer". Tragtenberg (1977, p. 196) identificou essa desumanização da burocracia nos primeiros teóricos da Administração, Taylor e Fayol, quando ambos "traduzem, no plano administrativo, a impessoalização burocrática, definida pelo enunciado das tarefas e pela sua especialização. As pessoas alienam-se nos papéis; estes se alienam no sistema burocrático". Nesse sentido, a burocracia fica sendo compreendida como "estrutura social, na qual a direção das atividades coletivas fica a cargo de um aparelho impessoal hierarquicamente organizado, que deve agir segundo critérios impessoais e métodos racionais" (PRESTES MOTTA, 1985, p. 7).

Outro ponto muito criticado da atuação da burocracia nos programas de qualidade é o excesso de relatórios, que atrapalham a rotina de trabalho dos participantes. Segundo o E2, "a parte mais burocrática era o envio de todas as informações. Nós superávamos a meta, mas não era fácil passar as informações. Isso gerava um desconforto".

Já o E3 explicou como a tecnologia era utilizada para o envio das informações, mas que, mesmo assim, havia muito trabalho a ser feito, e nem sempre a tecnologia atendia da melhor forma. Para ele, "tudo que é muito lei, o pessoal acaba procurando uma brecha pra burlar. O melhor é deixar o negócio mais leve pra todo mundo, reduzir a burocracia". Tragtenberg, que escreveu sua obra numa época anterior a todos os avanços tecnológicos atuais, ao analisar a burocracia segundo Weber, descreveu a dificuldade desses processos burocráticos e sua utilização como forma de dominação. Ele declarou que

> a direção administrativa [...] mantém o *status quo* gerado pelo sistema industrial. Sua maior preocupação concentra-se no fluxo mecânico dos objetos e da manipulação humana conforme critérios utilitários. Ela cristaliza tais mecanismos, confinando o homem a papéis definidos como se fora coisa. (TRAGTENBERG, 1977, p. 194)

Pode-se observar que, apesar das dificuldades enfrentadas pelo caráter opressor e desumano da burocracia e pela dificuldade de se manter com ela uma comunicação adequada, os entrevistados não estavam revoltados com a situação. Em parte, isso acontece devido ao treinamento oferecido e à atuação no programa de gestão da qualidade total em vendas e *merchandising*. Para eles, atingir as metas e cumprir os processos-chave é algo que dá orgulho e motiva, apesar de o entorno nem sempre ser favorável. Nesse ponto, o programa de qualidade total se aproxima da Escola de Relações Humanas, de Mayo, pois, segundo Tragtenberg (1977, p. 85), "a escola de relações humanas é behaviorista, procura por intermédio de estímulos adaptar o indivíduo ao meio sem transformar o meio".

Para o E7, "você tem poder, você pode entregar o resultado e assim fazer o bem pra sua equipe, pra você e pros consumidores do seu produto. Esse mundo em que nós vivemos entrou na veia. Eu quero executar o que sou pago pra fazer, quero bater as metas". Todos assentiram em concordância com esse ponto, e E2 complementou, utilizando uma metáfora militar: "Missão dada é missão cumprida". Quanto à cobrança das metas, eles entendem que, desde que com respeito, a burocracia pode e deve cobrar, e que isso é algo favorável para a superação dos resultados, deixando-os orgulhosos. Como disse o E1, "o chefe tem o direito de cobrar o resultado e a eficiência, mas nunca tratar de forma desumana". Para o E2, "o superior fala pelas suas ações. Em vez de reclamar, de apontar, tem que focar no resultado, tem que resolver".

As redes de relacionamento, que são construídas dentro da empresa e com os clientes e que auxiliam a atingir as metas do programa de qualidade, são outro aspecto que torna o dia a dia dos trabalhadores mais estimulante e minimiza a revolta com a burocracia, segundo relato dos entrevistados. E, ao atingirem as metas, eles se sentem realizados, conforme descrito no parágrafo anterior, e também seguros no emprego, por terem o reconhecimento materializado por meio das premiações do programa. Essas redes são muito valorizadas pelos entrevistados, mais ainda do que a própria organização em que trabalham. Para o E1, "às vezes você está ajudando o cara por uma empresa e amanhã você está em outra. Você ajuda o cara, não pela sua empresa, ajuda por você". Segundo o E5, "o gerente da loja às vezes pede que você abasteça produtos que não são da sua empresa. Ao fazer isso, você ganha pontos com o gerente, e ele sempre vai ajudá-lo, quando precisar, seja nessa empresa ou em outra". O E4 concordou também: "Você tem a sua rede. Ao ajudar as pessoas, elas vão te indicar oportunidades, vão ser solidárias com você".

Percebe-se que a segurança oferecida pela rede de relacionamentos é superior àquela oferecida pela organização: ela transcende a organização e permite que o trabalhador permaneça empregado, mesmo que seja demitido. E, para isso, as boas relações, o reconhecimento e a reputação pelo atingimento das metas são necessários.

6.3. Realização de atividades predefinidas e padronizadas

No filme *Um Senhor Estagiário*, de 2015, escolhido para retratar a realização de atividades predefinidas e padronizadas, Anne Hathaway é Jules Ostin, criadora de um bem-sucedido site de vendas de roupas. Sua empresa inicia um projeto no qual idosos são contratados como estagiários, com o objetivo de reintegrá-los de forma digna à vida ativa. Nesse programa, é contratado Ben Whittaker, personagem interpretado por Robert de Niro. Viúvo, Ben acha que tem uma vida sem graça e vê o estágio como uma grande oportunidade. Ben e Jules estabelecerão uma sólida amizade, apesar do conflito geracional.

    A cena reproduzida ao grupo focal é iniciada com Ben sendo apresentado a Jules, que, muito franca, lhe diz que não está feliz em ter um estagiário idoso trabalhando diretamente com ela e que ele deveria pedir transferência. Ben agradece e recusa. Começa então seu estágio, e ele não é chamado para nenhuma atividade. Todos estão conectados aos seus computadores fazendo vendas de roupas. O ambiente, aparentemente descontraído e informal, na verdade demonstra alta padronização, com todos desempenhando suas tarefas de modo semelhante e tendo atitudes pessoais semelhantes. Ben, com seu estilo antiquado, vai conquistando seu espaço, seja com gentileza, ao ajudar outras pessoas em seus afazeres – o que ninguém mais faz –, seja aconselhando os demais sobre problemas profissionais e pessoais.

    Considerando que Taylor foi o primeiro a estudar e a elaborar o que viria a ser uma teoria geral da administração e aquele que, por meio de um sistemático estudo dos tempos e movimentos essenciais para que os trabalhadores executassem suas tarefas, redefine de que forma o trabalho necessário para a produção de um bem seria executado, Tragtenberg (1977, p. 73) assinala que, em relação à proposta taylorista, "o estudo do tempo e a cronometragem definem-se como pedra angular do seu sistema de racionalização do trabalho". Como relatado anteriormente, a qualidade total enfoca os tempos e movimentos de uma forma um pouco diferente, mas relacionada à abordagem original de Taylor: no lugar dos tempos máximos que cada trabalhador poderia dedicar ao trabalho se fosse mais eficiente, os programas de qualidade vão privilegiar os tempos ótimos. Assim, é a partir da burocracia e, consequentemente, do processo intrínseco de dominação que é permitido o atingimento de fins práticos, através de cálculos cada vez mais precisos dos meios a serem utilizados (PRESTES MOTTA, 1985).

Para o E1, uma rotina desse tipo, semelhante à preconizada por Taylor e pela qualidade total, pode ser uma fonte de alienação e desmotivação, pois "fazer trabalhos repetitivos e isolados atrapalha a performance da empresa, porque, se a coisa fica muito repetitiva, não há nenhuma inovação, aí vem uma empresa inovadora e engole". O E5 concordou e destacou um exemplo do próprio filme: "Não tem união de equipe, é cada um por si, preocupado apenas em fazer as suas atividades que já estão definidas".

O personagem vivido por Robert de Niro não se enquadra nesse modelo de trabalho, até porque não saberia como executá-lo, visto que não dominava as tecnologias necessárias para tanto. Como relatou o E6, "a geração passou, ele ficou pra trás, mas quer colocar sua experiência em prática, quer agregar. Não adianta saber usar a tecnologia, se não quiser fazer a diferença".

Essa característica do personagem impressionou muito todos os entrevistados, que lhe dedicaram boa parte do debate. Para o E1, "ele é uma pessoa mais idosa, procura o que fazer, ajuda um, aconselha outro e vai encontrando o seu espaço". O E4 concordou, dizendo que "ele se adapta no que consegue fazer, se tornando útil pra empresa". O E5 também concordou e considerou que muitos problemas que enfrentava no seu dia a dia não eram resolvidos pela simples execução das atividades padronizadas, mas pelo trabalho em equipe, que se aproximava de um modelo de gestão independente, mais próximo daquele que Tragtenberg acreditava ser uma alternativa ao modelo burocrático – a autogestão:

"O meu chefe sempre falava, quando tínhamos um problema aparentemente insolúvel, pra fazermos uma tempestade de ideias. Nós nos reuníamos, cada um relatava sua dificuldade e os demais propunham soluções criativas, a partir de suas próprias experiências. Sempre saíamos com uma boa solução."

O E1 deu outro exemplo pessoal:

"Quando entrei na empresa, fazia dez mercados. Um dia, voltando pra casa, vi uma loja de uma rede de supermercados. Parei e, ao olhar a loja, percebi que os nossos produtos estavam muito mal executados. Abasteci as gôndolas e os pontos extras e deixei meu telefone com a gerente. Poderia não ter parado e não ter feito isto, mas eu queria fazer diferente."

Apesar desse declarado incômodo causado pela realização de atividades predefinidas e padronizadas – tendo em vista os diversos exemplos dados pelos entrevistados de como eles descumprem, quando necessário, o roteiro-padrão para inovar e colocar sua criatividade em ação –, a padronização, por outro lado, lhes oferece segurança também. A segurança de saber o que deve ser feito, o que se espera deles. O E5 afirmou: "Eu quero estar preparado. Por isso o programa de gestão da qualidade total em vendas e *merchandising* funciona e dá certo. Você estuda, você se prepara e você executa. As lojas ficam perfeitas".

Essa questão da padronização é muitas vezes comparada, de forma elogiosa, com as atividades militares e esportivas. Como disse o E6, "no esporte, quando você está cansado, você tem que treinar mais. A rotina te deixa afiado e, como no esporte, ajuda a melhorar o resultado, apesar de poder te deixar engessado, às vezes". O E2 concordou e agregou outra comparação:

"Já falei pro diretor: o negócio é ter uma formação. Você pode estar na empresa que quiser. Se não tiver uma formação boa, não tem jeito. Nós trabalhamos com as pessoas. Repetimos o que deve ser feito, todos os dias. Não desistimos. Se necessário, de segunda a segunda. Nós somos tipo um grupo de extermínio."

Esse tipo de comparação já havia sido identificado por Tragtenberg (1977, p. 78), para quem o "elemento básico na teoria clássica da administração, em Taylor e Fayol, é o papel conferido à disciplina copiada dos modelos das estruturas militares".

A segurança é um fator de motivação para todos, pois saber o que deve ser feito e ter executado a ação com sucesso repetidas vezes, mais do que o reconhecimento da empresa em que trabalham, promove o reconhecimento dos pares e dos clientes. Dessa forma, eles se sentem confiantes para, quando necessário, até mesmo confrontar a burocracia e agregar alternativas inovadoras ao seu trabalho. Para o E2, "se alguém for me entrevistar e perguntar por que eu devo ser contratado, eu respondo que é porque eu sou o melhor. O programa me incentivou e me reconheceu. Eu vou ser aprovado e vou levar para trabalhar comigo as pessoas que têm a mesma filosofia". Para o E5, "tem que ter meta. O programa nos dá metas claras. Se não tem metas, você é o louco da aldeia, atira a flecha, depois vai lá e marca o alvo onde a flecha parou e sai comemorando. Eu sempre bato as minhas metas, desde que elas estejam claras".

Percebe-se que o programa de reconhecimento e incentivo se alinha também com a Escola de Relações Humanas, que, segundo Tragtenberg (1977, p. 83 e 85), "na sua preocupação em evitar os conflitos e promover o equilíbrio ou um estado de colaboração definido como saúde social. [...] valoriza, neste sistema, símbolos baratos de prestígio". Nessa perspectiva, o que se observa é que o programa de gestão da qualidade total, ideologicamente, transforma metas em símbolos de prestígio e, com isso, consegue alienar o espírito de emancipação do trabalhador, que se vê suscetível ao discurso institucional.

7. CONCLUSÕES

Este artigo se propôs a analisar a gestão da qualidade total partindo das referências dos Estudos Críticos em Administração e, em particular, da abordagem de Maurício Tragtenberg, na análise apresentada em seu livro *Burocracia e ideologia* (1977). Para isso, optou-se pela exibição de trechos de filmes como forma de estimular o debate do grupo focal, por reunirem a coisa falada – o mito –, a coisa mostrada – o lócus do adulto, a ordem, a moral e as virtudes [e vícios] – e a coisa desempenhada – o rito, a vivência, os filmes como "espaços" para a performance (MEIRA, 2008, p. 83).

A partir do grupo focal, percebeu-se que os entrevistados eram muito bem treinados nos conceitos da GQT e que tinham compreensão do que as organizações esperavam que eles fizessem, tanto em relação ao atingimento das metas quanto em relação ao cumprimento dos processos-chave necessários para trabalhar com qualidade. Conforme Enguita (2015) afirma, não existe um critério absoluto que permita estabelecer a que se atribui o termo "qualidade", exceto quando ela passa a ser uma categoria compartilhada por todos os envolvidos no processo.

No que se refere à análise, alguns pontos interessantes foram observados, considerando as três categorias selecionadas. O primeiro ponto refere-se à ausência, no discurso dos entrevistados, da necessidade de emancipação e autonomia no ambiente de trabalho, fato compreendido como pressuposto inerente aos estudos críticos. O que se identificou foi que o principal anseio desses trabalhadores é ter segurança no que fazem e que ela deve ser obtida conforme o cumprimento daquilo que o programa de GQT estabelece, mais do que com o emprego em uma determinada organização.

Complementarmente, eles se sentem ainda mais seguros se trabalham em uma equipe que tem a mesma percepção da realidade que eles. Com esse entendimento compartilhado do trabalho, estabelecem uma rede de apoio mútuo, na qual cada um, independentemente da posição em que atua, apoia o outro na execução das suas atividades.

Dessa forma, o estudo indica que o programa de GQT tem um caráter ideológico bem estabelecido, que exerce um papel na formação, na atuação e na compreensão de trabalho, com a participação daqueles que atuam no programa.

Metaforicamente, os entrevistados, por diversas vezes, referiam-se a si e ao seu trabalho como sendo um exército ou uma equipe esportiva, o que demonstra que as premissas da GQT e também dos seus predecessores – os primeiros estudiosos da administração científica, como Taylor e Fayol – são assumidas como discurso ideológico, sem considerar uma crítica ao ambiente de busca incessante de eficiência ao trabalho, como se todos os que estão participando do programa de GQT devessem cumprir as metas como missão de vida. Mais uma vez, essa percepção fortalece ideologicamente a estrutura de autoridade e, sobretudo, o uso dos preceitos burocráticos como forma de controle e opressão, reiterado pelas analogias ao exército e ao "time" como modelos de trabalho em equipe.

Outro ponto interessante abordado pelos entrevistados foi que a burocracia atrapalha o rendimento da equipe, pois se gasta muito tempo alimentando sistemas que não dão conta das especificidades do trabalho, o que demonstra não apenas que a execução busca a eficiência para os entrevistados, mas também a necessidade de comprovar os resultados alcançados como diferencial de sucesso.

Partindo dos três parâmetros adotados por Davel e Alcadipani (2003), pode-se inferir que o modelo adotado pela teoria da gestão da qualidade total em nada se aproxima dos estudos críticos. Ao contrário: a partir das falas analisadas do grupo focal, todos adotam o negócio e o trabalho com visão naturalizada da administração, com clareza da intenção vinculada à performance, sendo incapazes de imaginar um modelo de trabalho que não se estruture por meio de metas e resultados. E, por fim, nenhum deles evidencia a necessidade de autonomia e, consequentemente, uma intenção emancipatória do ambiente de trabalho.

Assim, o sucesso dos programas de gestão de qualidade total se reflete na ausência de uma abordagem crítica pelos trabalhadores e pesquisadores, que condicionam um modelo de trabalho fortalecido à alienação do trabalhador e, consequentemente, à garantia de um ambiente de trabalho com "falsos" consensos e alinhamentos entre os trabalhadores e seus empregadores.

Uma limitação deste estudo é que ele analisa os trabalhadores participantes de um tipo de programa de GQT dedicado a aumentar a produtividade da área de vendas. Em vista disso, seria interessante estendê-lo a trabalhadores de outras áreas, para saber que tipo de reação teriam quando impactados por esse tipo de programa. Além disso, os Estudos Críticos em Administração produzidos no Brasil têm outros autores com pensamento original que poderiam ser utilizados para realizar estudos com perspectivas que enriquecessem aquela fundamentada no pensamento de Tragtenberg. Como sugestão de pesquisa futura, poderiam ser abordados os pontos mencionados como limitadores deste estudo, assim como poderiam ser exploradas as possibilidades da autogestão, defendida por Tragtenberg, como uma alternativa emancipatória ao modelo produtivista vigente, verificando-se qual seria a viabilidade de realizar trabalhos que seguissem parâmetros de qualidade, mas sem inviabilizar a autonomia e a independência do trabalhador – características necessárias para a sua realização profissional.

REFERÊNCIAS

ALVESSON, M.; WILLMOTT, H. On the idea of emancipation in management and organization studies. **Academy of Management Review**, Briarcliff Manor, v. 17, n. 3, p. 432-464, 1992.

BESTERFIELD, D. H. *et al*. **Total quality management.** Upper Saddle River: Pearson Education, 2003.

CAREY, M. A. The group effect in focus group research: planning, implementing and interpreting focus group research. *In*: MORSE, J. M. (ed.) **Critical issues in qualitative research methods**. Londres: Sage, 1996. p. 225-241.

DAVEL, E.; ALCADIPANI, R. Estudos Críticos em Administração: a produção científica brasileira nos anos 1990. **RAE: Revista de Administração de Empresas**, São Paulo, v. 43, n. 4, p. 72-85, out./dez. 2003.

DEMING, W. E. **Quality, productivity and competitive position.** Cambridge: Massachusetts Institute of Technology, 1982.

ENGUITA, M. F. O discurso da qualidade e a qualidade do discurso. *In*: GENTILI, P. A. A., SILVA, T. T. S. (org.) **Neoliberalismo, qualidade total e educação**: visões críticas. Petrópolis: Vozes, 2015.

FARIA, J. H.; OLIVEIRA, S. N. Gestão da qualidade: a dimensão político-cognitiva-afetiva do desempenho organizacional. *In*: ENCONTRO ANUAL DA ANPAD, 23., 1999, Foz do Iguaçu. **Anais** [...]. Foz do Iguaçu: [s. l.], 1999.

FERNANDES, W. A. **O movimento da qualidade no Brasil**. São Paulo: Essential, 2011.

FOURNIER, V.; GREY C. At the critical moment: conditions and prospects for critical management studies. **Human relations**, Thousand Oaks, v. 53, n. 1, 2000, p. 7-32.

ISHIKAWA, K. **What's total quality control? The japanese way**. Englewoods Cliffs: Prentice Hall, 1985.

JURAN, J. M. **Quality control handbook.** Nova York: McGraw Hill Book Company, 1980.

MACHADO, R.; VALVERDE, A. **Maurício Tragtenberg**. São Paulo: Educ, 2016.

MARTINS, A. G. S.; MARTINS, C. Os estudos organizacionais e os gigantes: que emancipação está em jogo nos Estudos Críticos em Administração? II Colóquio Internacional de Epistemologia e Sociologia da Ciência da Administração. **Revista de Administração Contemporânea**, Rio de Janeiro, v. 9, n. 1, 2012.

MASON, P. **Pós-capitalismo:** um guia para nosso futuro. São Paulo: Companhia das Letras, 2017.

MEIRA, M. B. **Estágios refragentes da experiência humana.** Tese (Doutorado em Ciências Sociais) – Pontifícia Universidade Católica de São Paulo. São Paulo, 2008.

MORAES, L. F. R. de; MAESTRO FILHO, A. Del; DIAS, D. V. O paradigma weberiano de ação social: um ensaio sobre a compreensão do sentido, a criação de tipos ideais e suas aplicações na teoria organizacional. **Revista de Administração Contemporânea**, Rio de Janeiro, v. 7, n. 2, p. 57-71, 2003.

MORIN, Edgar. **O cinema ou o homem imaginário:** ensaio de antropologia. Lisboa: Relógio d'água Editores, 1977.

PAULA, A. P.; MARANHÃO, C. M. S. A. A.; BARROS, A. N. Pluralismo, pós-estruturalismo e "gerencialismo engajado": os limites do movimento critical management studies. **Cad. EBAPE.BR**, Rio de Janeiro, v. 7, n. 3, p. 392-404, set. 2009.

PRESTES MOTTA, F. C. Maurício Tragtenberg: desvendando ideologias. **RAE: Revista de Administração de Empresas**, São Paulo, v. 41, n. 3, p. 64-68, jul./set. 2001.

PRESTES MOTTA, F. C. **O que é burocracia.** São Paulo: Editora Brasiliense, 1985.

SHEWHART, W. A. **Economic control of quality of manufactured product.** Nova York: D. Van Nostrand Company Inc., 1931.

TRAGTENBERG, M. **Burocracia e ideologia.** São Paulo: Ática, 1977.

TRAGTENBERG, M. Memorial. **Pro-posições**, Campinas, v. 2, n. 1, p. 79-87, 1991.

WEBER, M. **Economia y sociedad.** Cidade do México: Ed. Fondo de Cultura Econômica, 1944.

SOBRE OS ELEMENTOS GRÁFICOS DESTA OBRA

Como autores deste livro, acreditamos que o sucesso de um empreendimento – qualquer que ele seja e qualquer que seja a área na qual ele se situe – sempre implica um conjunto de esforços. Estamos, o tempo todo, partilhando saberes que, somados, viabilizam projetos, tal como sucedeu a este e aos artigos nele reproduzidos.

Os elementos gráficos desta publicação, por exemplo, pertencem a um campo do conhecimento sobre o qual não temos domínio, mas pelo qual temos enorme apreço. E enorme apreço ainda mais especialmente aqui, já que o "nascimento" deste livro é a concepção do fruto de toda uma atividade intelectual, e lhe conferir uma "identidade" também passava pela necessidade de vê-lo representado num formato que simbolizasse a essência deste projeto. E foi essa a contribuição com que contamos da parte de Fabio Voinichs Imamura, publicitário pela Fundação Armando Álvares Penteado (FAAP) e designer gráfico pela Escola Panamericana de Artes.

O símbolo gráfico desta obra, que representa o logo da RGMotta (www.rgmotta.com.br) e também os três pilares de "A Trajetória de Um Doutorado", foi inspirado num gesto icônico realizado por Rodrigo Guimarães Motta na sua atuação como judoca. Esse gesto espontâneo, no momento em que ele vibrava, se deu na vitória conquistada no Campeonato Mundial de Judô Veteranos na cidade de Fort Lauderdale, nos Estados Unidos, em 2016. Ajoelhado no tatame após duríssima luta, Rodrigo celebrou o que, até então, era a sua maior conquista no esporte: a tão suada e sonhada medalha de bronze.

O nosso agradecimento ao Fabio Voinichs Imamura, que atualmente é sócio-diretor na Agência Núcleo 3 Comunicação e na empresa de Marketing de Causas, BeCause. Apaixonado por artes, ele também é artista plástico e tem os seus trabalhos divulgados no Brasil e no exterior, sendo que no seu currículo constam campanhas para empresas como Mc Donald's, Coca-Cola, Mastercard, Seara, GOL e JSL, entre outras.

Para quem também quiser conhecer um pouco mais do trabalho do Fabio, os meios são estes:

- www.nucleotres.com.br
- www.becauseagencia.com
- fabio@nucleotres.com.br

GOSTARIA DE APROFUNDAR ALGUM TEMA?

Taí uma coisa que a gente adora fazer: conversar sobre os temas aqui abordados e a respeito de tantos outros que possam ser associados a eles, problematizar esses estudos a partir de novas perspectivas, ampliar os contextos de cada pesquisa, ponderar quais os percursos metodológicos mais adequados à obtenção de cada novo objetivo, vislumbrar novas possibilidades de contribuição tanto para as atividades da academia quanto para aquelas mais características do mercado de trabalho, formar novas parcerias...

Já viu que, na verdade, a gente gosta mesmo é de conversar, né?

Bem, e se, a partir do que você encontrou aqui, qualquer uma dessas prosas também for do seu interesse, ou mesmo se você quiser conhecer outros estudos nos quais estivemos ou estamos envolvidos, entre em contato:

- **Rodrigo Guimarães Motta**
  rodrigo.motta@rgmotta.com.br
  Lattes: http://lattes.cnpq.br/5632584195439565

- **Iara Mola**
  iaramola@gmail.com
  Lattes: http://lattes.cnpq.br/5001052465103820

Estamos à disposição e certos de que, no mínimo, será uma grande satisfação expandir a proposta original desta obra e, claro, a nossa própria rede de amigos.

Esta obra foi composta em Minion Pro 10,5 pt e impressa em
papel Offset 90 g/m² pela gráfica Meta.